Dosbarth miss Prydderch

llyfr 1

a'r Carped Hud

★ ★ ★

MERERID HOPWOOD

Lluniau gan
RHYS BEVAN JONES

Gomer

Cyfarwyddiadau

Annwyl Ddarllenydd,

Croeso i Ddosbarth Miss Prydderch.
A diolch i ti am fod yn barod i fentro
ar y daith!

Cofia:

★ Mae hanes yr antur yn ymestyn dros dri
llyfr.

★ I gael y stori i gyd, bydd angen i ti ddarllen
y tri llyfr.

★ Pan fyddi di'n gweld
yr arwydd hwn yn y
llyfrau, os oes gen ti amser, gwibia draw i
www.missprydderch.cymru i gael mwy o
wybodaeth.

★ Weithiau byddi di'n gallu gweld llun neu
esboniad yno.

2

> Does dim rhaid i ti eu darllen nhw, ond bysen ni'n dau'n hoffi meddwl dy fod yn gwneud.

★ Ar ymyl ambell dudalen bydd sylwadau bach mewn bybls gan naill ai fi neu Alfred

★ Os nad wyt ti'n hoffi'r darluniau, dim problem – gelli di ddychmygu rhai gwahanol yn eu lle. Wedi'r cyfan, dim ond dychymyg sy'n dweud beth yw lliw a llun pethau mewn llyfrau fel y llyfrau hyn.

Gan obeitho'n fawr y byddi di'n mwynhau'r stori a'r siwrnai.

Gyda dymuniadau gorau,

Yr un sy'n dweud y stori

Darllenwch y rhain nesa!

Cyhoeddwyd gyntaf yn 2017 gan Wasg Gomer,
Llandysul, Ceredigion SA44 4JL
www.gomer.co.uk

ISBN 978 1 84851 183 5

ⓟ testun: Mererid Hopwood, 2017 ©
ⓟ lluniau: Rhys Bevan Jones, 2017 ©

Cyhoeddwyd gyda chymorth ariannol
Cyngor Llyfrau Cymru.

Argraffwyd a rhwymwyd yng Nghymru gan Wasg Gomer,
Llandysul, Ceredigion SA44 4JL

I blantos Pontiago, ymhell ac agos.

1

Y noson cyn
y bore cyntaf

◆◆◆◆◆◆◆◆◆◆◆◆◆◆◆◆◆◆◆◆◆◆◆◆◆◆◆◆◆◆◆◆

Gorweddai Alfred ar wastad ei gefn yn ei wely'n syllu ar y nenfwd. Roedd y sticeri sêr bach yn gloywi drwy'r tywyllwch a gallai weld gwregys sgleiniog Orion, yr heliwr mawr, yn glir. Gwregys. O! roedd Alfred yn hoffi dweud y gair

Orion: dyma'r enw sy'n cael ei roi ar y patrwm o sêr ry'n ni'n ei weld uwchben Cymru yn ystod y gaeaf.

5

'gwr-e-gys'. Roedd e'n air crynshi. Lot gwell na 'belt'. Ac uwch y gwregys gallai weld bwa a saeth Orion yn pwyntio'n syth tuag ato. Wel, tuag at waelod ei fola a bod yn fanwl gywir. Oherwydd yn y fan honno, reit yng ngwaelod ei fola, roedd teimlad trwm. Teimlad fel bricsen o drwm. Teimlad a ddwedai wrtho mai fory oedd diwrnod cyntaf tymor newydd yr ysgol. A theimlad a ddwedai wrtho nad oedd e'n edrych ymlaen o gwbl at fynd yn ôl i'r hen le.

Peidiwch â chamddeall. Roedd Alfred wedi bod yn hapus iawn yn Ysgol y Garn am bum mlynedd. Ac roedd e wedi

Wel, chwech os y'ch chi'n cyfri'r flwyddyn yn y Dosbarth Meithrin gyda Mrs Lloyd.

edrych ymlaen yn fawr at ei flwyddyn olaf. Blwyddyn y Cyngor Ysgol, y Plant Mawr a'r Swyddogion. Blwyddyn y Siop Ffrwythau a Dyletswydd Amser Cinio … Blwyddyn Miss Hughes.

Miss Hughes gyda'r ffrogiau lliwgar. Miss Hughes gyda'r ewinedd pinc. Miss Hughes gyda'r wên garedig a'r arogl blodau a lafant a mefus a mafon. Miss Hughes na fyddai byth yn rhoi stŵr i neb. Miss Hughes oedd yn canu'r gitâr ac yn swnio fel angyles. Miss Hughes, yr athrawes orau erioed.

Miss *Arianwen* Hughes.

Ond ar ddiwrnod olaf y flwyddyn, wrth i'r plant dynnu popeth oddi ar y waliau a rhoi eu gwaith i gyd mewn bagiau plastig, a golchi'r byrddau, a derbyn yr amlen frown bwysig gyda'r ADRODDIAD ynddi, dyma Mr Elias, y prifathro, yn galw pawb i'r neuadd ar gyfer y gwasanaeth ffarwél.

Fel rheol, ffarwelio â'u ffrindiau fyddai'r plant yn ei wneud. Dweud 'ta-ta' a dymuno gwyliau hapus, a Mr Elias yn rhoi pregeth am fod yn ofalus a pheidio â chrwydro a mynd i chwarae yn y goedwig neu ar lan yr afon.

Ond fis Gorffennaf diwethaf – dydd Iau, yr 20fed o Orffennaf, am 2:25 y prynhawn a bod yn fanwl gywir – cyhoeddodd Mr Elias:

'... ein bod ni i gyd fel ysgol yn drist wrth ffarwelio gydag aelod arbennig o'r

Roedd Mr Elias yn dweud 'da iawn' drwy'r amser. Nid jyst pan oedd rhywbeth 'da iawn' wedi digwydd.

staff, ac yn dymuno priodas hapus iawn i Miss Arianwen Hughes a phob lwc iddi yn ei hysgol newydd yn Llundain. Da iawn. Da iawn. Bla-di-bla-di-bla.'

Dawnsiodd y geiriau o gwmpas pen Alfred.

Beth?!

Miss Hughes yn gadael?!

Miss Hughes yn mynd i Lundain?!

Miss Hughes yn priodi?!

Miss Hughes, Miss Hughes, Miss Hughes. Miss Arianwen Hughes.

Doedd Mr Elias ddim wedi dweud 'bla-di-bla-di-bla' go iawn.

Yn amlwg, ddylech chi ddim galw neb yn 'sguthan'. Aderyn yw 'sguthan', un sy'n gwneud sŵn diflas i fynd ar eich nerfau chi'n llwyr.

Hon oedd eiliad waethaf-ond-un bywyd Alfred. Roedd yr eiliad *waethaf* i ddod. Ac fe ddaeth yn syth ar ôl yr eiliad waethaf-ond-un.

Aeth Mr Elias yn ei flaen:

'Ac ry'n ni'n falch o groesawu …'

Cododd ei lygaid tua chefn y neuadd ac estyn ei law. Trodd pob disgybl ei ben i weld …

'Miss Prydderch.'

Na! Byth! Allai hyn ddim bod yn wir! Yr unig beth a safai yng nghefn y neuadd oedd dynes, nage, *gwrach* — un dalsyth, ddi-wên, ddi-flodau, ddi-ewinedd pinc.

Sguthan hen, lwyd.

Chlywodd Alfred mo Mr Elias yn

mynd yn ei flaen i ddweud mai Miss Prydderch fyddai'n dysgu Blwyddyn 6 am yr hanner tymor cyntaf na'i glywed e'n gofyn i bawb roi cymeradwyaeth fawr iddi a dweud:

'P'nawn da, Miss Prydderch.'

Ond fe glywodd Alfred Miss Prydderch yn iawn. Llais cadarn, llym. Llais a seiniodd y geiriau:

'P'nawn da, blant.'

Ond llais a ddwedodd go iawn:

'A does 'na neb yn mynd i gael chwarae a chwerthin yn fy nosbarth i!'

Chlywodd Alfred ddim byd arall. Dim gair. A doedd ganddo ddim syniad fod Mr Elias wedi dweud, a'i wyneb yn hir, fod ganddo newyddion trist arall, dweud bod yr AWDURDODAU yn meddwl cau Ysgol y Garn am nad oedd digon o blant ynddi. Doedd dim digon o blant yn yr ysgol am nad oedd digon o blant yn yr ardal. Roedd hynny am nad oedd digon o rieni yma, a doedd dim digon o rieni am nad oedd digon o waith i rieni ...

Bu gwyliau'r haf yn gyfnod o gyfarfodydd. Mewn ceginau ac ar gorneli stryd, roedd pobl yn trafod yn answyddogol. Pawb yn gofyn: 'Beth sy'n mynd i ddigwydd i Ysgol y Garn?' A bu un cyfarfod swyddogol yn festri Horeb.

Pethau *swyddogol* yw pethau sydd wedi cael eu trefnu gan bobl fel pobl 'YR AWDURDODAU'. Pethau *answyddogol* yw pethau sydd jyst yn digwydd.

Er gwybodaeth: roedd 12 disgybl ym mlwyddyn 6, ond yna dim ond 15 ym mlwyddyn 4 a 5 gyda'i gilydd, a dim ond 10 ym mlwyddyn 1 a 3 gyda'i gilydd a NEB yn y Dosbarth Meithrin.

'Cadw Ysgol y Garn Ar Agor' oedd yr unig beth ar yr agenda. Y cwestiwn oedd, sut oedd cadw Ysgol y Garn ar agor? Ac roedd pawb yn gwybod beth oedd yr ateb. **Yr ateb** = **mwy o blant.** Ond doedd gan neb syniad o ble fyddai'r plant hyn yn dod. A phan ddaeth mis Medi doedd neb fawr callach. Roedd pethau'n edrych yn ddu iawn, ac roedd y bygythiad gan yr AWDURDODAU yr un mor ddu.

Mae Alfred yn hoffi dweud y gair 'by-gy-thiad', fel mae'n hoffi dweud 'gwr-e-gys'. Ond dyw e ddim yn hoffi'r gair ei hunan. Jyst ei sŵn e.

Y bygythiad oedd:

Os na fyddai mwy o blant yn dod i'r ardal, yna, byddai'r ysgol yn cau.

Atalnod llawn. Amen.

Ac eto, gyda'r holl gyfarfodydd, roedd gwyliau'r haf wedi bod yn gyfle i anghofio'r hunllef fawr, yr hunllef go iawn. Hunllef colli Miss Arianwen Hughes.

Ond nawr, a hithau'n noson cyn bore cyntaf y tymor newydd, y cwbl allai Alfred ei gofio oedd llais llym Miss Prydderch.

Roedd wedi gorffen edrych ar y lluniau yn ei lyfr am y sêr. Roedd wedi cyfri'r sticeri sêr ar y nenfwd a gwneud pob math o storïau antur yn ei ben am

Rhai o'r cytser eraill sydd i'w gweld yn y nos.

yr Arth a'r Neidr a'r Dylluan sy'n byw yn y sêr. Ond drwy'r cwbl roedd un cwestiwn yn mynnu stwffio'i hun i'w ben:

Pwy, o pwy o pwy oedd y dyn a oedd wedi dwyn Miss Hughes i Lundain?

Annwyl Dduw,

Plis a wnei di ddanfon Miss Prydderch i Lundain ac anfon Miss Hughes yn ôl i Ysgol y Garn? Diolch yn fawr.

Nos da. Amen.

Cysgodd Alfred yn anesmwyth a daeth y bore'n llawer rhy gyflym.

15

Am ryw reswm doedd neb braidd byth yn galw Lewis Vaughan yn Lewis na Dewi Griffiths yn Dewi, a doedd neb yn galw Gwyn yn Gwyn Jones – jyst Gwyn. 'Sneb yn gwybod pam. Jyst fel na oedd hi.

A rhyw noson ddigon tebyg a gafodd Gwyn.

A Lewis Vaughan.

A Dewi Griffiths.

Ac Elen Benfelen.

A Sara-Gwen.

A phob un o'r 12 disgybl a oedd ar fin mynd i ddosbarth Miss Prydderch yn Ysgol y Garn.

Pawb yn troi a throsi ac yn gweld wyneb llwyd Miss Prydderch yn ymddangos fel gwdihŵ gas, ddiflas.

Troi a throsi nes i'r bore ddod.

A mam Gwyn yn galw: 'Amser codi!'

A mam-gu Lewis Vaughan yn galw: 'Amser codi!'

Cofiwch gyda 'VAUGHAN', chi'n dweud 'Fôn', fel yn Sir Fôn. Mae'r gair VAUGHAN yn dod o'r gair FYCHAN … ond dyw Lewis Vaughan ddim yn hoffi hynny, achos dyw e ddim yn fach iawn. Mae e'n eitha tal.

A thad Dewi Griffiths yn galw: 'Dewi! Mae'n amser codi!'

A chath fach Elen yn dringo i ben y gwely a mewian: 'Mae'n amser codi.'

A Sara-Gwen yn codi ar ganiad larwm ei chloc pinc.

Roedd mam Alfred yn galw hefyd. Galw a galw a galw. Ond roedd Alfred, o'r diwedd, yn cysgu'n sownd ac yn breuddwydio am fwyta malws melys yng nghwmni Miss Arianwen Hughes.

2

Y bore cyntaf

◆◆◆◆◆◆◆◆◆◆◆◆◆◆◆◆◆◆◆◆◆◆◆◆◆◆◆◆◆◆◆◆◆

Oedd, roedd bore Llun wedi gwawrio.
Y bore cyntaf. Bore llwyd.

Cododd Alfred yn araf ac yn drwm.
Safodd dan y gawod am oesoedd.
Gwisgodd ei drwser ysgol llwyd, y
siwmper lwyd a'r crys-T glas, a'i felt.
Nage. Ei wregys. (Gwregys Alfred, dim
gwregys Orion). Diolch byth, doedd
dim byd llwyd am y gwregys na'r waled

fach oedd arni. Roedd hwnnw'n dal yn ddu a'r bwcwl bach arian yn sgleinio arno. Gwisgai Alfred y gwregys hwn bob dydd. Yn y waled fach ar y gwregys roedd e'n cadw'i chwistl-drwmp, ac er mwyn cadw'r chwistl-drwmp yn saff, saff, roedd e'n ei rhoi hi mewn casyn bach arbennig wedi'i wneud o

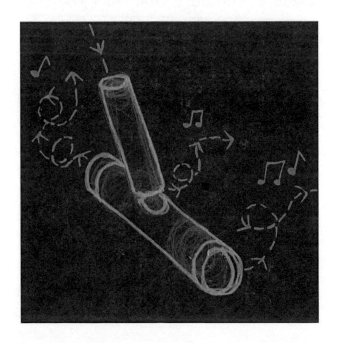

wlân trwchus. Cerddodd i lawr y stâr (dim awydd mentro sleidio na neidio heddiw).

Bwytodd y bap bacwn heb siarad. Doedd dim awydd sôs coch arno. Agorodd ddrws y ffrynt yn araf, ac ar ôl i'w fam orffen gwneud ffỳs am ei wallt a'i fag a'i sgidiau a'i arian cinio, cerddodd allan i'r stryd a throi tua'r ysgol fel pe bai'n ddiwedd y byd.

Roedd Miss Prydderch yn yr ysgol yn disgwyl am y dosbarth. Roedd hi'n sobor o lwyd. Ffrog lwyd. Gwallt llwyd. Sbectol lwyd. Llygaid llwyd. Sgidiau llwyd. Llwyd oedd lliw ei char. Llwyd oedd lliw ei llyfr nodiadau. Llwyd oedd lliw ei bag ysgol, ac fe grogai hwnnw

fel rhyw fath o rwyd lwyd ar waelod darn o ddefnydd hir llwyd, rownd un ysgwydd lwyd ac i lawr dros ei chanol. Ni fu yr un dydd Llun yn ddydd mor llwyd erioed.

Roedd hi'n gwybod enwau'r plant i gyd cyn i'r wers ddechrau hyd yn oed. Ac roedd hi'n gwybod beth oedd y dosbarth yn mynd i'w wneud yn ystod pob awr o bob dydd am yr wythnos gyntaf yn gyfan. Roedd yr amserlen waith ar y wal, ac fel y byddai un sesiwn yn dechrau a'r nesaf yn gorffen, byddai Miss Prydderch yn rhoi croes drwyddi. Croes fawr lwyd.

Cawsai pawb eistedd lle y mynnai – ar yr amod nad oedd neb i fod i siarad. Doedd dim unrhyw beryg o hynny.

Roedd Dewi Griffiths wedi dweud bod ei dad wedi dweud bod Miss Prydderch yn cadw ffon yn y cwpwrdd.

'Ond dyw athrawon ddim yn bwrw plant â ffyn y dyddie hyn!' protestiodd Lewis Vaughan.

Edrychodd Dewi Griffiths i fyw ei lygad a dweud:

'Ond dyw Miss Prydderch ddim yn perthyn i'r dyddie hyn ...'

Cyn ychwanegu gan sibrwd:

'Mae Miss Prydderch yn perthyn i ddyddie ysgol Amgueddfa Sain Ffagan.'

Ymunodd Gwyn wedyn a dweud yn hanner jôc a hanner o ddifri,

'A chi'n gweld y bag rhwyd llwyd

'na sy gyda hi? Mae'n defnyddio hwnna i ddala plant drwg!'

Arswydodd pawb. Llifodd atgofion o'r diwrnod yn ysgol Amgueddfa Sain Ffagan a'r potiau inc a'r llechi a'r llafarganu brawychus yn ôl, a daeth darluniau o Miss Prydderch yn dal plant yn ei bag i feddwl ambell un ofnus.

Aeth y diwrnod cyntaf o symiau i sillafu i ddarllen tawel i dynnu llun. Dau amser egwyl ac awr ginio.

A dweud y gwir, aeth y diwrnod cyntaf yn rhyfeddol o gyflym.

Ac er nad oedd Miss Prydderch wedi gwenu unwaith (doedd hi ddim yn gallu gwenu, yn ôl Gwyn, roedd hi wedi gwgu am mor hir nes iddi anghofio sut oedd gwenu), doedd Miss Prydderch ddim chwaith wedi bod yn gas. Erbyn meddwl, doedd hi ddim wedi codi'i llais unwaith. Ac erbyn meddwl, gallai pethau fod wedi bod yn waeth.

Ond O! Roedd yr hiraeth am Miss Hughes yn fawr, ac yn ystod yr awr arlunio, tynnu llun blodyn fel y blodyn ar ffrog Miss Hughes wnaeth Alfred. A breuddwydio amdani.

3

Dydd Mawrth –
dydd Iau

◆◆◆◆◆◆◆◆◆◆◆◆◆◆◆◆◆◆◆◆◆◆◆◆◆◆◆◆◆◆◆◆◆

O ddydd Mawrth i ddydd Iau, aeth y
dosbarth drwy'r amserlen. Ac erbyn
hyn roedd mwy o groesau llwyd arni na
dim byd arall. Doedd dim byd cyffrous
iawn wedi digwydd – heblaw fod
Anwen Evans wedi deall (o'r diwedd)
sut i wneud lluosi hir, a bod Siôn Bevan
wedi dysgu sut i wneud carai ei sgidiau

heb help a bod Miss Prydderch, jyst cyn amser mynd adre ddydd Mercher, wedi dweud wrth bawb am ddod â phethau i'r Bwrdd Natur erbyn bore trannoeth.

Roedd un si – ond dim ond si, cofiwch – fod Anwen Evans wedi gweld Miss Prydderch yn gwenu pan gafodd Anwen y sym olaf ar y daflen yn iawn. Ond doedd neb arall wedi'i gweld hi'n gwenu – felly, allai neb fod yn gwbl siŵr.

Fore Iau, roedd pawb yn y stafell ddosbarth yn cymharu eu nwyddau ar gyfer y Bwrdd Natur.

Roedd Alfred wedi dod â dail mawr fel dwylo – dail y gastanwydden ac un belen gron, bigog a fyddai'n rhoi concyr fawr frown iddyn nhw yn yr Hydref. Roedd Dewi Griffiths wedi anghofio dod â rhywbeth, ond sleifiodd i waelod yr iard cyn i'r gloch ganu a chasglu llond llaw o fwyar duon a'u rhoi mewn hen hances bapur. Roedd Elen wedi dod â chnocell y coed wedi'i gwneud o bren. Roedd Sara-Gwen wedi dod â thylluan wen mewn cas gwydr. Roedd hi'n edrych yn hardd ac yn drist. Roedd y dylluan wen mewn cas gwydr yn werthfawr ac yn perthyn i daid Sara-Gwen, ac roedd rhaid i fam Sara-Gwen ei chario at ddrws yr ysgol a'i rhoi'n bersonol i Miss Prydderch. Daeth Gwyn â chot wlân dafad. Ond cyfraniad Lewis Vaughan achosodd yr helbul mwyaf. Cyfraniad Lewis Vaughan i Fwrdd Natur Blwyddyn 6 oedd … neidr wedi'i stwffio!

Sgrechodd y merched. Sgrechen a sgrechen a sgrechen, ac am fod un ohonyn nhw wedi neidio i ben y bwrdd, neidion nhw i gyd.

Gyda hynny, ymddangosodd wyneb llwyd Miss Prydderch yn ffenest y drws.

Dyma fyddai hi'n 'i wneud bob tro. Ymddangos fel ysbryd yn ffenest y drws a disgwyl i bawb ymdawelu a rhedeg i'w sedd. Yna, byddai'n agor y drws fel cysgod a sleifio i mewn yn swnllyd o dawel.

Ac wrth weld wyneb llwyd Miss Prydderch, ac, er gwaetha'r ofn mawr, mawr, stopiodd y sgrechen yn syth. Aeth pawb yn dawel i'w sedd gan adael y neidr yn un 'S' fawr arswydus ar y Bwrdd Natur, a'r mwyar a'r ddeilen, cnocell y coed a chot y ddafad yn crynu ar y bwrdd. Gosododd Miss Prydderch y dylluan wen yn ofalus ar ei desg a soniodd hi ddim gair – DIM UN GAIR – am y gnocell na chot y ddafad

na'r ddeilen na'r mwyar duon na'r neidr.
DIM UN GAIR.

Achos y peth nesaf ar yr amserlen oedd Prawf Sillafu. Doedd 'Bwrdd Natur' ddim ar yr amserlen tan ar ôl amser chwarae bach dydd Iau.

4

Prynhawn dydd Gwener

◆◆◆◆◆◆◆◆◆◆◆◆◆◆◆◆◆◆◆◆◆◆◆◆◆◆◆◆◆◆◆◆◆◆

Ar ôl cinio dydd Gwener, safai holl ddisgyblion Blwyddyn 6 Ysgol y Garn mewn dwy res dwt ar yr iard. Merched a bechgyn. Roedd rhaid sefyll yn nhrefn yr wyddor:

Ben Andrews   Rhian Beynon

Siôn Bevan   Siân Caruthers

Shhh – doedd Alfred ddim wedi cyfaddef hyn i'w hunan, hyd yn oed – felly: DIM GAIR WRTH NEB.

Alfred Eurig Davies	Elen Dafydd (sef Elen Benfelen)
Dewi Griffiths	Anwen Evans
Gwyn Jones	Cadi Thomas
Lewis Vaughan	Sara-Gwen Williams

Ac er nad oedd Alfred yn falch o glywed y gloch yn canu, na chlywed chwiban Mrs Forster (y ledi gino) yn corlannu pawb i'w rhesi, roedd cael sefyll gyferbyn ag Elen yn rhyw fath o wobr.

Heb siw na miw, i mewn â'r disgyblion i'r dosbarth. Roedden nhw'n gwybod beth oedd ar yr amserlen lwyd. 'Amser Stori'. Ac roedden nhw'n gwybod, 100%, y byddai'r stori'n ddiflas. Stori hir, hir, heb na dechrau na diwedd, am ryw blant bach anffodus yn byw ymhell bell i ffwrdd – plant llwyd mewn gwlad lwyd, a'u stori'n un lwyd, heb ofn nac arswyd na chwerthin.

Dyna beth arall roedd Miss Arianwen Hughes yn enwog am wneud. Dweud stori. Ond roedd Miss Arianwen Hughes wedi mynd. I Lundain. A Miss Prydderch oedd yn sefyll o'u blaenau heddiw.

5

Amser Stori

◆◆◆◆◆◆◆◆◆◆◆◆◆◆◆◆◆◆◆◆◆◆◆◆◆◆◆◆◆◆◆◆◆

Ac eto, roedd rhywbeth gwahanol ar gerdded. Rhywbeth gwahanol iawn. Cyn gynted ag yr oedd y plant wedi eistedd wrth eu desgiau dyma Miss Prydderch yn gofyn:

'Pwy yw'r rhedwr cyflymaf?'

Wwww, meddyliodd Alfred. *Falle fod*

Mae dweud: 'roedd rhywbeth gwahanol ar gerdded' 'run peth â dweud: 'roedd teimlad gwahanol yn y lle'.

'Ymffrostio' yw dweud peth ffantastig amdanoch chi eich hunan.

Miss Prydderch wedi newid ei meddwl, a'i bod hi am adael i bawb fynd 'nôl mas i'r iard i ymarfer rhedeg! Byddai hynny'n llawer gwell na gwrando arni hi'n mwydro dweud rhyw hen stori faith.

'Alfred Eurig Davies!' daeth yr ateb.

Mae'n wir fod Alfred yn dipyn o redwr. Nid ei fod e'n un am ymffrostio. Dim ond nodi ffaith. Roedd wedi ennill pob ras sbrint ers y dosbarth meithrin (heblaw am y flwyddyn pan redodd cath Elen ar y trac a gwneud iddo faglu. Roedd e wedi edrych 'nôl i weld faint oedd y bwlch rhyngddo fe a Lewis Vaughan a heb weld y gath a baglu a glanio'n fflat ar ei dalcen ... sef ... yyy ... yyy ...mabolgampau Blwyddyn 5 ... ie, o'r gorau, llynedd.)

37

'Iawn,' meddai Miss Prydderch, cyn ychwanegu, 'Amser Stori yw hi nawr, felly dewch bawb i'r cornel darllen.'

Cododd pawb ei gadair yn uchel – rhag llusgo'r coesau ar y llawr – a'i rhoi'n daclus o dan y ddesg. Doedd Miss Prydderch ddim yn hoffi sŵn coesau cadeiriau'n crafu ar y llawr. A cherddodd pawb yn dawel at y carped. Cerddodd Alfred damed bach yn gynt er mwyn trio gwneud yn siŵr y byddai'n eistedd ar bwys Elen.

Ac yna digwyddodd rhywbeth rhyfedd.

Eisteddodd Miss Prydderch ar y

Doedd e ddim, falle, yn sylweddoli ei fod wedi gwneud hyn – felly shhh, dim gair!

stôl deircoes. Yn araf, gwthiodd ei llaw i grombil ei bag rhwyd llwyd, a thynnu llyfr mawr llwyd ohono. Na, nid hynny oedd yn rhyfedd. Y peth nesaf oedd y peth rhyfedd. A'r peth nesaf oedd ei bod hi wedi … GWENU!

Ac yn sydyn, doedd Miss Prydderch ddim yn edrych hanner mor llwyd.

'Wel, blantos,' meddai ei llais yn gyffrous-garedig, 'chi 'di bod yn blant sbeshal drwy'r wythnos, wedi gweithio'n galed ac wedi gwrando'n astud, ac am hynny, chi'n haeddu cael stori arbennig.'

Mentrodd Anwen Evans godi'i llaw.

'Ie, bach, beth sy'n bod?'

'Dwi'n hoffi'ch socs chi, Miss Prydderch.'

Aeth llygaid pawb at y llawr. Ac yn wir i chi, o dan hem yr hen sgert lwyd roedd pâr o sanau pinc a smotiau melyn yn pipo mas.

Chwarddodd Miss Prydderch. Chwerthiniad rhyfeddol o, wel, o ffein.

'Wel, nawr 'te,' meddai, 'ydych chi'n barod am antur?'

Rhyw hanner nodio'i ben a wnaeth pawb — a neb yn hollol siŵr beth i'w ddisgwyl.

Wedi'r cyfan, roedd Gwyn wedi dweud nad oedd Miss Prydderch yn gallu gwenu — a dyma hi nawr nid yn unig yn gwenu, ond yn gwenu'n garedig.

'O'r gorau. Alfred, cer di i sefyll ar bwys y drws. Os gweli di Mr Elias yn dod, dweda'n syth. Os na, pan glywi di fi yn dweud "bant â ni", dwi am i ti roi'r mop hwn yn erbyn y drws ac yna, rhed ar garlam at y carped. Deall?'

'Deall,' atebodd Alfred. Ond doedd e ddim yn deall yn hollol.

Pan estynnodd hi'r mop ato, roedd Alfred wedi drysu'n lân, oherwydd roedd gwlân brwsh y mop wedi'i glymu'n union fel gwallt mewn bynnen, ac yn fwy na hynny, roedd y mop yn gwisgo cardigan hir, lwyd. Cardigan a oedd yn debyg iawn i un o gardigans llwyd Miss Prydderch. A dweud y gwir, roedd y mop yn edrych yn hynod o debyg i Miss Prydderch, ac roedd Alfred yn siŵr, pe byddech chi'n sefyll tu fas i'r dosbarth ac

yn gweld y mop, y gallech chi feddwl mai Miss Prydderch *oedd* y mop!

'A gofala dy fod ti'n rhoi'r mop yn erbyn y ffenest – fel bod neb yn gallu gweld i mewn i'r dosbarth,' ychwanegodd, gyda gwên … a winc!

Winc?!

Doedd Alfred ddim eisiau ildio'i le ar bwys Elen ond draw â fe at y drws, a'r mop o dan ei fraich.

Dilynodd pob pâr o lygaid ei daith i ben arall y stafell. Wedi iddo gyrraedd, agorodd Miss Prydderch y llyfr mawr a dechreuodd gyda'r geiriau, 'Unwaith, amser maith yn ôl …'

Stopiodd.

'Alfred,' dwedodd. 'Alfred, rhaid

i ti edrych mas am Mr Elias … elli di wrando ac edrych ar yr un pryd?'

'Gallaf,' atebodd, gan amneidio â'i ben yn betrusgar.

Dechreuodd eto. 'Unwaith, amser maith yn ôl, roedd coedwig arbennig heb fod ymhell iawn, iawn o'r fan hyn, ac enw'r goedwig oedd Coedwig y Tylluanod. Mae tylluanod ar y cyfan yn adar doeth, os ychydig yn gysglyd. Nawr, i chi gael deall,' meddai Miss Prydderch, 'nid tylluanod cyffredin oedd y rhain, ond rhai arbennig iawn, gyda chlustiau coch a thafodau a oedd yn gallu siarad. Roedd y coed yng Nghoedwig y Tylluanod yn rhai arbennig iawn hefyd, a rhai o'r dail arnyn nhw'n ddigon mawr i chi eistedd

arnyn nhw. Ac
roedd y tylluanod a
ofalai am y coed yn
ddigon cryf i hedfan
gyda rhywun yn
eistedd ar eu cefn!

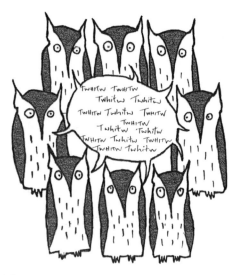

Yna, yn ddirybudd,
stopiodd Miss Prydderch ac edrychodd
o'i chwmpas â'i llygaid yn dawnsio.
Roedd pawb yn fud, pob disgybl yn
aros yn eiddgar am ddarn nesaf y stori,
a phob disgybl dwtsh bach yn ofnus.
Pam fod Miss Prydderch wedi stopio?
Oedd rhywun wedi symud blewyn
o'i wallt neu fys bach ei droed? Oedd
rhywbeth o'i le? Thynnodd neb yr un

anadl wrth ddisgwyl i weld pa helbul fyddai'n digwydd nesaf.

Ond dyma beth ddigwyddodd nesaf. Mewn llais tawel, cyffrous, gofynnodd Miss Prydderch gwestiwn. A hwn oedd y cwestiwn:

'Fysech *chi*'n hoffi mynd i Goedwig y Tylluanod?'

Roedd pawb fel pe bai wedi'i swyno, a neb yn gallu ateb yn iawn, a'r cwbl a welodd Miss Prydderch oedd llond dosbarth o blant yn nodio pen. A'r cwbl a glywodd Alfred oedd llais Miss Prydderch yn dweud: 'O'r gorau, daliwch yn dynn … A BANT Â NI!'

A chyda hynny, daeth chwa o wynt rhyfedd o'r llawr, a dyma hen garped y cornel darllen, a'r holl blant oedd arno, a'r stôl deircoes a Miss Prydderch i gyd yn dechrau codi. Codi'n uwch ac yn uwch ac yn uwch.

'Alfred! Alfred!' galwodd Miss Prydderch. 'Bant â ni!'

Roedd Alfred yn gwylio'r cyfan o'i gornel ger y drws. Ac yn sydyn cofiodd Alfred eiriau Miss Prydderch …

'O'r gorau. Alfred, cer di i sefyll ar bwys y drws. Os gweli di Mr Elias yn dod, dweda'n syth. Os na, pan glywi di fi'n dweud "bant â ni", dwi am i ti roi'r mop hwn yn erbyn y drws ac yna, rhed ar garlam at y carped. Deall?'

Doedd dim sôn am Mr Elias, felly, gadawodd Alfred y mop i bwyso yn erbyn y drws a dechreuodd redeg. Rhedeg ar garlam drwy'r dosbarth. Rhedeg gan neidio dros y byrddau a'r cadeiriau i gyfeiriad y cornel darllen. Roedd y darn carped wedi diflannu bron yn gyfan gwbl i grombil cwmwl mawr yn y stafell. A'r unig beth a welai Alfred oedd llaw Miss Prydderch yn estyn allan ac yna'n ei dynnu o'r llawr ac i mewn i'r cwmwl lle roedd Blwyddyn 6 i gyd yn eistedd mewn syndod.

6

Cyrraedd y goedwig

◆◆◆◆◆◆◆◆◆◆◆◆◆◆◆◆◆◆◆◆◆◆◆◆◆◆◆◆◆◆◆◆◆◆

'Coedwig y Tylluanod!' gorchmynnodd Miss Prydderch gan bwyntio tua'r Dwyrain. A chydag un chwyrlïad mawr agorodd holl ffenestri'r stafell ddosbarth a hedfanodd y cwmwl a'r carped allan uwchben yr iard a thros yr afon a'r Garn.

Ar gopa'r Garn, diflannodd y cwmwl yn llwyr gan adael dim ond awyr las, a'r plant i gyd, a Miss Prydderch, yn dal yn dynn yn ei gilydd ac yn ymylon carped y cornel darllen.

Doedd neb yn dweud na bw na ba – dim ond dal yn dynn a mwynhau sŵn y gwynt yn eu gwallt ac edrych ar ei gilydd a'u llygaid yn fawr fel soseri.

Yna'n sydyn, chwarddodd Miss Prydderch. 'Dacw hi! Coedwig y Tylluanod!'

Ac yn wir i chi, draw ar y gorwel roedd coedwig hardd, ac wrth i garped y cornel darllen ddechrau disgyn yn is ac yn is, gallai'r plant weld bod un dylluan â chlustiau coch yn pendwmpian ar gangen ym mhob un o'r coed.

Yn araf-osgeiddig, glaniodd y plant yn dwt ac yn esmwyth ar ddarn o laswellt

'Llannerch' yw'r gair am ddarn o laswellt yng nghanol coedwig.

braf, gyda dim byd mwy na 'bwmp' bach doniol.

'Wel, wel, wel!' ebychodd Miss Prydderch, gan ddechrau cerdded o gwmpas y Llannerch.

'Mae'r coed wedi tyfu ers y tro diwethaf i mi fod yma.'

Ac yna, gydag un symudiad cyflym, rhwygodd y ffrog lwyd oddi amdani gan ddatgelu crys-T pinc a smotiau melyn (yr un peth ag un o'i sanau hi), a phâr o jîns glas, a daeth 'nôl i eistedd ar y stôl deircoes.

Tro Sara-Gwen oedd hi nawr i godi'i llaw. 'Miss Prydderch?'

'Ie, Sara-Gwen?' gofynnodd Miss Prydderch.

51

'Dwi'n hoffi'ch crys-T chi …'

'Mae'r un peth ag un o'ch socs chi …' ychwanegodd Anwen Evans.

'Wel, diolch i chi,' atebodd Miss Prydderch gan chwerthin, cyn symud ymlaen i ofyn i'w hunan, 'Nawr 'te, ble o'n i wedi cyrraedd? O ie, dwi'n cofio – ro'n i ar fin dweud wrthych chi am y pethau da … a'r pethau drwg, oedd yng Nghoedwig y Tylluanod …'

7

Defaid

◆◆◆◆◆◆◆◆◆◆◆◆◆◆◆◆◆◆◆◆◆◆◆◆◆◆◆◆◆◆◆◆◆

'Dechreuwn ni gyda'r pethau da,' meddai Miss Prydderch, ac wrth ei bod hi'n dweud yr union frawddeg daeth dwy ddafad i'r golwg. 'Wel, wel, wel, wel!' meddai wedyn. 'Gwen a Gwlanog! Sut y'ch chi'ch dwy 'slawer dydd?'

Trodd Miss Prydderch at y defaid a dechrau siarad â nhw. Cymraeg glân gloyw. Siarad a siarad fel pwll y môr.

Holi hyn a holi'r llall. Ac o'r diwedd, pan stopiodd Miss Prydderch siarad i roi cyfle iddyn nhw ateb, daeth tawelwch mawr.

'Wel?' meddai.

Dim siw na miw.

'Wel?' gofynnodd eto gan wenu. 'Atebwch!'

Roedd pawb yn y dosbarth yn edrych yn eiddgar ar yr anifeiliaid. O'n nhw wir yn mynd i'w hateb? Ac eto, roedd Miss Prydderch fel pe bai'n disgwyl hynny. Ond ddwedodd y ddwy ddafad ddim un gair. Edrychodd Alfred a Lewis Vaughan ar ei gilydd cystal â dweud, 'Hy! Wrth gwrs! Pwy glywodd erioed am ddefaid yn gallu siarad?!' Roedd Alfred yn dechrau colli amynedd,

ac yn meddwl bod Miss Prydderch yn hanner dw-lal. Ac roedd e'n gwybod bod Lewis Vaughan yn meddwl yr un peth – meddwl bod Miss Prydderch yn cracyrs. Roedd Gwyn hefyd yn meddwl hyn. Wedi'r cyfan, roedd Gwyn yn byw ar fferm ddefaid ac yn adnabod cannoedd o ddefaid a doedd dim UN ddafad yn gallu siarad.

Mae'r rhain yn eiriau i ddisgrifio rhywun sy'n hollol wallgo'.

55

Gyda hynny, edrychodd y ddwy ddafad yn drist ar Miss Prydderch a chodi eu coesau blaen.

'O!' tynnodd Miss Prydderch anadl siarp. A chan droi at y dosbarth, dwedodd, 'O na! Mae Gwen a Gwlanog wedi colli un o'u sgidiau!'

Bu'n rhaid i Alfred edrych draw yn slei ar Lewis Vaughan unwaith eto. Colli un o'u sgidiau, wir! Dyna sut oedd y gân am y ddau gi bach a ddysgodd pawb yn nosbarth Mrs Lloyd yn mynd. Cân babis y Dosbarth Meithrin. Roedd hi'n amlwg i Alfred fod Lewis Vaughan hefyd yn dechrau meddwl bod stori Miss Prydderch am Goedwig y Tylluanod yn un o'r straeon mwyaf twp a glywson nhw erioed. A meddwl bod Miss Prydderch yn *cracyrs* x *3*.

Ac eto, roedd y ddwy ddafad yn gwisgo esgid newydd ar bob troed arall. Un ohonyn nhw'n gwisgo tair esgid goch, ac un yn gwisgo tair esgid werdd. A, *dw-lal* neu beidio, doedd dim esgid o gwbl ar draed blaen y naill ddafad na'r llall! Twp? Falle. Rhyfedd? Sicr.

Wrth i Alfred feddwl fel hyn wrtho'i hun, daeth tylluan o'r goeden uwchben a glanio'n esmwyth ar bwys Miss Prydderch.

'Hm, hm,' meddai'r dylluan gan glirio'i llwnc. A DECHREUODD HON SIARAD! Edrychodd Alfred draw ar Lewis Vaughan, ond roedd Lewis Vaughan yn rhy brysur yn syllu a'i geg yn agored i edrych 'nôl ar Alfred. Roedd llygaid Lewis Vaughan wedi bron dod allan o'i ben ac roedden nhw wedi'u hoelio ar y dylluan ryfeddol. Dwedai'r olwg ar wyneb Lewis Vaughan: 'Beth?! Tylluan?! Yn siarad?!'

Aeth y dylluan (a gyflwynodd ei hunan fel Tw-ît) yn ei blaen i esbonio sut y bu i Gwen a Gwlanog fynd am

dro i'r coed, ag esgid newydd ar bob troed, ond pan ddaethon nhw adref, roedd y ddwy wedi colli un o'i sgidiau. Druan o'r ddwy ddafad – oherwydd roedden nhw, fel y tylluanod, yn medru siarad, ond – ac roedd hwn yn OND mawr – er mwyn gallu siarad, roedd rhaid i'r defaid fod yn gwisgo set gyfan o sgidiau, hynny yw, pedair esgid yr un – un esgid ar y ddwy droed flaen ac un esgid ar y ddwy droed ôl.

'Dwy droed adio dwy droed yw pedair troed,' galwodd Anwen Evans cyn ychwanegu, 'a phedair troed lluosi dau – am fod yma ddwy ddafad – yw wyth!'

'Hwrê!' gwaeddodd Miss Prydderch cyn neidio ar ei thraed a chwifio'i breichiau a dweud 'Ardderchog, Anwen Evans!' ar dop ei llais.

Doedd Tw-ît ddim yn rhannu'r llawenydd. Na'i ffrind, Tw-hŵt, a oedd wedi dod i wrando ar y stori.

'Hm, hm,' meddai eto, a'i llais yn gryg a'i llygaid yn drist.

'Beth sy'n bod?' holodd Miss Prydderch.

A chyn iddi orffen y cwestiwn, ychwanegodd un arall ...

'O, na! Nid yr un hen broblem?'

'Ie, mae arna i ofn eich bod chi'n

Gyda llaw, mae Dr yn sefyll am y gair Doctor. I arbed gorfod ysgrifennu pob llythyren, mae pobl yn rhoi Dr. Ond 'Doctor' mae pobl yn ei ddweud.

iawn,' atebodd Tw-ît a Tw-hŵt gyda'i gilydd. 'Yr un hen broblem – Dr Wg ab Lin!'

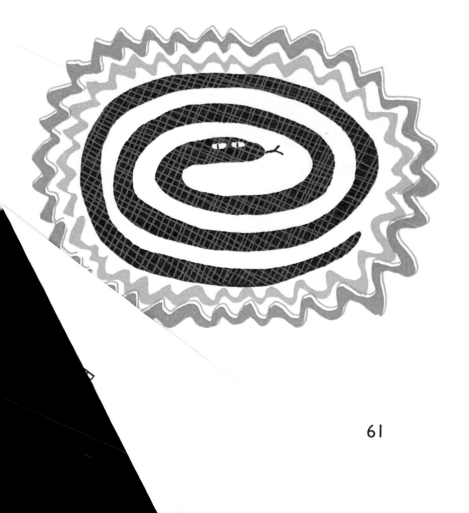

8

Yr un hen broblem

◆◆◆◆◆◆◆◆◆◆◆◆◆◆◆◆◆◆◆◆◆◆◆◆◆◆◆◆◆◆◆◆◆◆

Roedd Alfred yn dechrau hanner colli diddordeb. Dim babis o'n nhw ym Mlwyddyn 6. Ac os oedd y gweddill yn ddigon twp i gredu stori am ddefaid yn colli sgidiau a thylluanod yn siarad, yna, doedd e, o leiaf, ddim yn barod i fod mor sili. Wedi'r cyfan, roedden nhw i gyd yn mynd i'r Ysgol Fawr y flwyddyn nesaf i ddysgu ffeithiau iawn a gwneu stwff iawn ac arbrofion iawn a symiau anodd a fformiwlâu pwysig a dysgu am y sêr a …

Ond cyn i Alfred orffen ei restr … **fflachiodd golau gwyrdd a melyn trydanol drwy'r goedwig i gyd!** Ac yn sydyn, dim stori babis oedd y stori hon o gwbl! Llanwyd y lle â phelydrau mileinig llachar, fel bysedd anghenfil yn ymestyn i bob twll a chornel. Sgrechiodd

yr holl dylluanod ag un sgrech arswydus. AAAAAAA**AAAA!** Cyrliodd y dail mewn ofn. EEE**EEEEEEEEEE!** Roedd BRAW wedi bwrw'i fellt dros bawb.

Ac i ganol y Llannerch llithrodd neidr, yn llysnafedd i gyd.

Roedd Alfred yn gwrando nawr! Anghofiodd bopeth am y gwersi diddorol oedd o'i flaen yn yr Ysgol Fawr. Carlamodd ei galon ac roedd ei geg e'n sych fel anialwch – yn sych gan ofn.

DISGYNNODD TAWELWCH LLETHOL DROS BAWB.

'Ssssо! Sssssо! Sssssо! Sssssylwesss i fod rhywun wedi sssssssôn yn ssssslic am

Dr Wg ab Lin? Croesssssso! 'Sssssdim issssei chifod yn ssssswil.'

Gwibiodd ei lygaid gwyrdd o'r dde i'r chwith a sleifiodd ei dafod fforchog mewn a mas o'i geg filain.

'A-ha! Missssss Prydderch — croesssso sssssssbesssssial i chi.'

Saib.

'Wedi dod ar eich pen eich hunan, ife?' holodd yn ei lais main, sbeitlyd.

Roedd pawb ar y carped yn gwbl fud. Symudodd neb nac ewin na blewyn. Clywai Alfred ei waed yn curo fel gordd yn ei glustiau, ac ofnai y gallai pawb arall ... gan gynnwys y neidr ... ei glywed hefyd.

yn hollol cŵl

Sef, esgid yr un.

Roedd hi'n amlwg fod Anwen Evans ar fin llefen ac roedd wyneb Elen a wyneb Sara-Gwen mor wyn â chrysau Abertawe ar ddechrau gêm. Roedd y bois i gyd hefyd eisiau mynd adref. Sôn am chwarae'n troi'n chwerw! O fewn dwy funud o lanio yn y goedwig roedd dwy ddafad wedi colli bobo esgid ac roedd neidr wenwynig ar fin bwyta Miss Prydderch.

'O!' meddai Miss Prydderch, yn gwbl ffwrdd-â-hi, cyn ychwanegu, 'Ti sy 'na, Dr Wg ab Lin?! Ie, ar fy mhen fy hunan unwaith eto.'

Tynnodd Anwen anadl gyflym a throdd Dr Wg ei ben yn siarp tuag at y plant ar y carped.

'Dyna beth od. Gallwn i daeru 'mod i wedi clywed sssssŵn awel ffresssss yn dod o'r cyfeiriad hwn ... ac eto, doesssss dim sssssssiffrwd yn y dail.'

'Na, dim siffrwd o gwbl,' atebodd Miss Prydderch yn swta.

'O wel,' meddai'r neidr, 'doesssss dim amssssser gen i i'w wassssstraffu — gwaith yn galw. Sssssso long!'

A chyda hynny, llanwyd y goedwig eto gyda fflach o olau gwyrdd a diflannodd y creadur mor sydyn ag y daeth!

Arhosodd y tawelwch am sbel hir. Neb yn dweud dim. Ymhen ychydig, synhwyrodd Alfred y tylluanod yn dechrau symud yn y coed uwchben, ac o'r diwedd, edrychodd Miss Prydderch tuag at ei dosbarth a gwenu.

'Mae'n ddrwg gen i y'ch bod chi wedi gorfod cwrdd â Dr Wg. O'n i'n meddwl 'mod i wedi cael gwared ar ei ffyrdd anffodus e unwaith ac am byth. Mae'n amlwg ddim. Ond peidiwch â phoeni, all e ddim gweld plant – ddim yn dda iawn, o leiaf. Byddwch chi'n gwbl ddiogel. Ond bydd rhaid i fi ddechrau meddwl.'

Ac am funud, trodd llygaid Miss Prydderch i syllu ymhell bell i ffwrdd. Roedd hi'n dal ei gên yn ei llaw ac yn amlwg yn meddwl yn galed am rywbeth. Yna, yn sydyn, cododd ei phen a dweud yn gadarn:

Dydy bod yn 'sbeitlyd' ddim yn beth neis o gwbl. Mae'n beth milain a chas iawn.

'Bydd *rhaid* i Dr Wg newid ei ffordd. Does dim lle i hen greaduriaid sbeitlyd yn y goedwig hon – nac yn unrhyw goedwig arall.'

Yna, trodd a galw tu ôl i'r goeden ac i fyny i'r gangen, 'Hei, dewch 'mlaen, mae'n gwbl ddiogel nawr. Mae e wedi mynd!'

'Tw-ît-tw-hŵ – y'ch chi'n siŵr?' meddai llais tylluan.

'Yn berffaith siŵr. Dewch!'

A mentrodd Tw-ît yn araf i lawr o'r gangen a thrwynodd Gwen a Gwlanog yn dawel o'r tu ôl i'r goeden.

'Dewch yma!' meddai Miss Prydderch, a chan anwesu'r ddwy ddafad fach, dyma hi'n esbonio y byddai

69

Sef trïo gymaint ag o'n nhw'n gallu.

disgyblion Blwyddyn 6 Ysgol y Garn yn gwneud eu gorau glas i gael gafael ar ddwy esgid hud newydd iddyn nhw – un goch ac un werdd.

Wedyn, trodd at y plant a dechreuodd bwyntio a galw enwau ambell un, 'Lewis Vaughan, Dewi Griffiths ...' Yna stopiodd yn stond. Roedd y disgyblion i gyd yn eistedd yn gwbl fud.

'Beth sy'n bod?' gofynnodd.

BETH SY'N BOD?! Doedd neb wedi tynnu anadl ers i'r goedwig fflachio'n wyrdd ac roedd PAWB yn rhy ofnus i symud.

Edrychodd Miss Prydderch o un wyneb i'r llall . 'Dy'ch chi ddim yn ofnus, y'ch chi?' holodd gan ddal i edrych ar y

70

Gair blasus am 'methu credu'.

plant gwelw ar y carped. Roedd ei llais yn llawn syndod ac anghrediniaeth.

'Y'ch chi?' holodd eto. 'Peidiwch â dweud bod Dr Wg wedi dwyn eich lleisiau chi hefyd?! Dyna beth yw ei gêm fawr e! Gan ei fod e wedi dysgu siarad erbyn hyn, mae'n benderfynol o stopio pawb arall rhag siarad! Mae'n ofni pawb a phopeth sy'n medru siarad – yn ofni methu deall ac yn ofni y bydd lleisiau pawb yn siarad yn ei erbyn e.'

Roedd llygaid pob plentyn yn fawr gan ofn; doedd geiriau Miss Prydderch ddim yn llawer o help.

'Chi'n gweld,' aeth yn ei blaen, 'mae Dr Wg yn benderfynol o fod yn Frenin ar y Goedwig, ac mae'n gwybod yn iawn nad oes neb arall am ei weld e'n frenin. Mae'n gwybod y bydd pawb yn codi eu llais yn erbyn bwli fel fe. Dyna pam mae e wedi dwyn sgidiau'r defaid – heb y sgidiau does gan y defaid ddim llais – dy'n nhw ddim yn gallu siarad. Ac mae e'n meddwl os nad y'n nhw'n gallu siarad, fyddan nhw ddim yn gallu'i stopio fe rhag dod yn frenin! O, dewch!' meddai eto gan wenu. 'Wir i chi, does dim eisiau bod yn ofnus – all Dr Wg ddim gwneud unrhyw niwed i chi!'

Edrychodd Miss Prydderch eto ar bawb, cyn ychwanegu, 'I ddechrau, all e ddim eich *gweld* chi. Wir i chi!'

Ond aros yn gwbl ddisymud wnaeth pawb.

Yna'n araf cododd Elen a Sara-Gwen eu dwylo.

'Ie?' gofynnodd Miss Prydderch, yn amlwg yn falch fod rhywun o leiaf wedi symud.

A chyda'i gilydd, a'u lleisiau fel rhai mewn parti llefaru i'r llygod-lleiaf-dan-bum-mlwydd-oed, holon nhw: 'O ... O ... O ... Ond ... ydy e'n gallu'n *clywed* ni?'

'A ie, wel, falle'i fod e. Chi'n iawn fan 'na. Felly dyna ni!' meddai Miss Prydderch yn sionc i gyd, fel pe bai dim byd o gwbl o'i le. 'Mae'r ateb yn syml. Os gwelwch chi'r goedwig yn fflachio'n wyrdd a melyn – peidiwch â dweud na bw na ba – dim un smic! Iawn, unrhyw beth arall?'

fel angel.

UNRHYW BETH ARALL?! *Oedd.* Roedd Alfred wir eisiau mynd adref.

☆ ☆ ☆

Ond erbyn hyn roedd Miss Prydderch wedi ailddechrau gyda'r galw enwau. 'Lewis Vaughan, Dewi Griffiths …'

A-ha! Roedd hi'n dewis tîm. Nawr, er bod Alfred am fynd adref, doedd e ddim am gyfaddef hynny, ac felly, os oedd rhaid aros yng Nghoedwig y Tylluanod, doedd e ddim am gael ei wahanu oddi wrth ei ffrindiau. Felly, sythodd ei gefn a rhoi bys ar wefus ac edrych mor angylaidd a brwd ac effro â phosib.

'Sara-Gwen, Elen, mmm, un, dau, tri, pedwar – mae angen un arall arna i …'

Elen! Erbyn hyn, roedd cefn Alfred mor syth â phostyn lamp a'i fys wedi'i wasgu mor dynn yn erbyn ei wefusau nes eu bod nhw'n las ac yn biws. Plis, plis, plis, plis, Miss Prydderch, dewiswch fi, dywedodd Alfred wrtho'i hunan yn dawel …

'Gadewch i fi weld. Pwy gawn ni? Beth am … Alfred?'

A chyn iddi gael amser i newid ei meddwl, dyma fe'n neidio ar ei draed a mynd at y pedwar arall.

'Nawr 'te – bydd rhaid i chi'ch pump, a finne wrth gwrs, fynd i chwilio am y sgidiau, tra bo'r gweddill yn aros fan hyn. O'r gorau?'

'Ond, Miss Prydderch?' daeth llais Anwen Evans, yn llawn ofn.

'Ie, Anwen fach?'

'Allwch chi ddim ein gadael ni ar ôl heb neb i ofalu amdanon ni ...'

'Twt, twt. Fydden i byth yn gwneud y fath beth ...'

'Ond ...' Tro Gwyn oedd hi nawr. 'Ond wedoch chi'ch bod chi'n mynd gyda'r pump 'na, ac yyyy, allwch chi ddim bod mewn dau le ar yr un pryd ...'

Cododd Miss Prydderch un o'i haeliau nes ei bod bron â chyffwrdd top ei thalcen. 'A pham lai, Gwyn?'

A chyda hynny, HEB AIR O GELWYDD, dyma Miss Prydderch yn hollti'n ddwy!

Roedd Gwyn yn meddwl ei bod hi'n hen dro sâl iawn nad oedd e yn y tîm. Allech chi ddweud ei fod e wedi hanner pwdu.

'Waw!' Dyna'r unig beth oedd y dosbarth i gyd yn gallu'i ddweud.

Yn sefyll o'u blaenau nhw, yn y Llannerch o laswellt yng nghanol Coedwig y Tylluanod, roedd DWY Miss Prydderch! Un yn gwisgo crys-T pinc a smotiau melyn, a'r llall yn gwisgo crys-T melyn a smotiau pinc.

ANHYGOEL!

'Ym, un peth arall Miss Prydderch …'. Llais Gwyn eto.

'Ie, Gwyn?' atebodd y Miss Prydderch Smotiau Melyn.

'Yyy, pam fod rhaid mynd i chwilio am y sgidiau o gwbl?'

'Gwyn!' Roedd y ddwy Miss Prydderch yn siarad fel un.

'Does bosib dy fod ti'n mynd i adael i Dr Wg ab Lin gario'r dydd?!' Miss Prydderch Smotiau Pinc oedd yn siarad nawr. 'Mae'n rhaid i ni sefyll yn gadarn yn erbyn hen fwlis cas, llithrig. Ac mae'n rhaid i'r defaid gael llais! Mae dwyn llais oddi ar unrhyw un yn beth ofnadwy i'w wneud. Os yw'r anifeiliaid yn methu â siarad â'i gilydd, bydd hi'n anodd iawn iddyn nhw drefnu a gweithio gyda'i gilydd i atal Dr Wg rhag rheoli'r goedwig fel Bwli Mawr. Dwyt ti ddim am adael i hynny ddigwydd, wyt ti?! Mae lle i bawb yn y goedwig – mae gwaith i bawb, bwyd i bawb, cartref i bawb … a dyw hi ddim yn deg fod un neidr hir yn cael y cyfan i'w hunan.

Nawr, beth amdani? Helpu'r defaid diniwed neu eistedd 'nôl a gadael i'r creadur creulon 'na gael y gorau ar bawb?!'

'O'r gorau,' atebodd Gwyn yn fflat, '... yyy, dim ond holi o'n i ... 'na gyd!'

Heb wastraffu dim eiliad arall, dyma hi'n rhoi clic i'w bysedd a galw pum tylluan arall ati. I lawr â nhw o ganghennau'r coed fel peli eira o blu gwyn, a chyn y gallech chi ddweud 'gwdihŵ', roedd y pum disgybl dewr: Lewis Vaughan, Dewi Griffiths, Sara-Gwen, Elen Benfelen, Alfred – a Miss Prydderch wrth gwrs – yn hedfan fry yn yr awyr ac yn chwilio am sgidiau newydd i'r ddwy ddafad fach.

'Fyddwn ni ddim yn hir!' galwodd un Miss Prydderch gan chwifio'i llaw ar y Miss Prydderch arall.

Roedd bola Alfred yn llawn cyffro … a rhyw fath o ofn.

9

Disgwyl y gloch

◆◆◆◆◆◆◆◆◆◆◆◆◆◆◆◆◆◆◆◆◆◆◆◆◆◆◆◆◆◆◆◆◆◆◆◆

Tu allan i'r ysgol roedd y rhieni'n dechrau cyrraedd yn barod i gasglu'u plant ar ddiwedd y dydd.

Dyma pwy oedd yno:

Mam Alfred mewn jîns a chrys chwys glas, yn edrych yn eithaf blinedig wedi iddi ddod 'nôl i bentref Gwaelod y Garn o'r Dref ar y bws. Roedd hi'n gweithio yn y Dref bob dydd am bedair awr a hanner rhwng 10 a 2:30 y prynhawn yn cymryd stoc a thacluso yn SIOP GORGEOUS GIRLS.

Mae'n bryd i chi gael gwybod bod tad Alfred wedi marw pan oedd Alfred yn fach iawn. Dyna pam, falle, bod Alfred yn trysori'r chwistl-drwmp gymaint. Achos chwistl-drwmp ei dad e oedd e.

Yn siarad â hi roedd mam-gu Lewis Vaughan. Gwisgai anorac dros ei ffedog. Roedd pawb yn dwlu ar fam-gu Lewis Vaughan. 'Myng' roedd Lewis Vaughan yn ei galw hi, ac am hynny, 'Myng' oedd pawb arall yn ei galw hi hefyd. Roedd ganddi wyneb rhychiog, caredig, un a ddwedai

Roedd Lewis Vaughan yn byw gyda'i fam-gu, a doedd neb yn siŵr iawn ble roedd ei fam a'i dad e.

'ffrind' arno. (Nid yn llythrennol, wrth gwrs – doedd ganddi ddim tatŵs na dim byd fel 'na – jyst rhyw olwg 'ffrind' yn ei llygaid hi.) Roedd hi bob amser yn gwau. Dyna pam fod Lewis Vaughan bob amser yn gwisgo siwmperi gwlân. Hi oedd wedi gwau'r casyn arbennig i chwistl-drwmp Alfred. Roedd y gwlân yn dew ac yn gryf ac yn cadw'r offeryn yn saff yn y waled ar wregys Alfred, hyd yn oed pan oedd e'n chwarae pêl-droed ar yr iard.

Mam Gwyn oedd yno heddiw. Yn ei welingtons. Ond weithiau byddai tad Gwyn yn dod. Roedd y ddau ohonyn nhw'n ffermio a'r ddau'n brysur. Roedd ganddyn nhw jîp mawr lliw coch (fel sôs coch wedi sychu ar ymyl y plât) ac roedd

'Pongi' oedd gair Elen Benfelen am 'drewllyd'.

yn swnllyd iawn, a braidd yn pongi yn ôl Elen Benfelen, ond chware teg, roedd rhaid i'r jîp gludo anifeiliaid – defaid yn enwedig – yn ogystal â phobl, ac felly, roeddech chi'n bownd o glywed arogl gwahanol ynddo, on'd oeddech chi?

Doedd tad Dewi Griffiths ddim wedi gallu dod i gwrdd â Dewi heddiw. Saer coed oedd tad Dewi Griffiths ac roedd ar ganol job go fawr ochr draw i'r dref ar hyn o bryd, yn rhoi to newydd ar dŷ rhyw bobl grand. Drwy'r wythnos hon felly, roedd Dewi'n cael lifft adref gyda Gwyn.

Roedd mam Elen a mam Sara-Gwen yno hefyd a'r ddwy'n edrych yn trendi.

84

Y Cadeirydd yw'r person pwysig sy'n eistedd ar ben y bwrdd ac yn cadw trefn ar bawb.

Y 'trendi-wendis' fyddai Myng Lewis Vaughan yn eu galw, gan dynnu coes yn llawn jôcs. Dwy fam drwsiadus. Dwy a fyddai bob amser yn gwisgo sgidiau 'run lliw â'u cardigans, ac yn gwisgo mwclis a chlustdlysau sgleiniog.

Heddiw roedd y ddwy yn arbennig o siaradus. Roedd ganddyn nhw newyddion cyffrous. Roedd Mrs Gillian Thomas, Cadeirydd y Cyngor Sir, wedi addo dod i'r cyfarfod nesaf i ateb cwestiynau ar fater Cau Ysgol y Garn. Dyna un darn o newyddion. Yr ail oedd bod rhywun wedi gweld campyr-fan yn iard yr Hen Felin a bod sôn ar led fod perthynas i Miss Williams, Pantyfelin (a fu farw flwyddyn yn ôl), wedi gwerthu'r hen adfail i 'bobl o bant'.

Oedd, roedd tipyn o gyffro tu allan i ddrws yr ysgol ... ond dim hanner cymaint â fyddai wedi bod pe byddai'r rhieni'n gwybod am hynt a helynt eu plantos annwyl draw yng Nghoedwig y Tylluanod!

Pan oedd Alfred yn fach, wrth glywed am 'bobl o bant' roedd e'n meddwl mai *aliens* oedden nhw. Pobl â chroen gwyrdd! Wrth gwrs, jyst pobl oedd ddim wedi cael eu geni yng Ngwaelod y Garn oedden nhw.

10

Cnoc cnoc

◆◆◆◆◆◆◆◆◆◆◆◆◆◆◆◆◆◆◆◆◆◆◆◆◆◆◆◆◆◆◆◆

Yn ôl yn y Goedwig, wedi hedfan am funud neu ddwy dechreuodd tylluan Miss Prydderch bwyntio gyda blaen ei hadain tuag at gylch o goed islaw a dilynodd y lleill yr arwydd, gan ddisgyn yn ofalus i'r ddaear.

Ond O! dyna sŵn! Sŵn a wnâi i Alfred fod eisiau cuddio'i glustiau â'i ddwylo, ond roedd e'n methu gwneud

Crydd yw'r enw ar rywun sy'n gwneud sgidiau.

hynny, am fod arno ormod o ofn gollwng gafael a syrthio mas o blu'r dylluan wen ... a phwy a ŵyr ble roedd Dr Wg ab Lin erbyn hyn ...

Daeth y sŵn yn uwch ac yn uwch.

Sŵn cnoc, cnoc, cnoc, cnoc.

Tylluan Elen oedd gyntaf i gyrraedd a dyma hi'n galw, 'Hei! Mae arwydd fan hyn. Arwydd yn dweud:

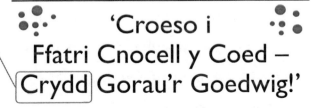

'Croeso i Ffatri Cnocell y Coed – Crydd Gorau'r Goedwig!'

Ac wrth i'r plant i gyd lanio, dyma'r sŵn yn codi eto fyth.

cnoc! cnoc! cnoc!

CNOC! CNOC!
CNOC!

Ac yna, yn gwbl ddirybudd, dyma'r cnocio'n tawelu.

Aeth popeth yn gwbl, gwbl ddistaw.

Yr unig sŵn cnocio nawr oedd sŵn calon Alfred yn curo, curo, curo.

Roedd ofn ar Alfred, a gallai weld wrth liw wyneb Elen fod ofn arni hithau hefyd. Mentrodd ati a dal ei llaw.

Ac yna'n sydyn, o'r tu ôl i'r coed, daeth adar bach rhyfedd yr olwg, pob un yn gwisgo ffedog ledr a llond pig o hoelion aur. Heb ollwng yr un hoelen dyma un ohonyn nhw – yr hynaf, mae'n debyg, yn dweud:

 'Cnoc! Cnoc!' ac yna gofyn – wrtho fe 'i hunan:

'Pwy sy na?' ac yna ateb ei hunan:

'Cnoc!'

ac yna gofyn eto:

'Cnoc pwy?'

ac yna ateb ei hunan eto:

'Cnocell y coed!'

a chwerthin yn aflafar ar ben ei jôc ei hunan. Chwerthin a chwerthin nes bod Alfred yn meddwl yn siŵr y byddai'n llyncu'r hoelion ac yn marw yn y fan a'r lle. Ond rywsut, er mor ofnadwy fyddai hynny wedi bod, wrth glywed yr holl chwerthin iach diflannodd pob ofn o'i feddwl a chyn pen dim, roedd Alfred ac Elen a phawb arall yn y ffatri sgidiau'n chwerthin gyda'r crydd bach doniol hwn.

Ar ôl iddo orffen chwerthin, dyma fe'n troi at Miss Prydderch. 'Wel, wel, wel, Marilyn! Heb eich gweld chi ers blynyddoedd … ddim ers i chi ddod i chwilio am esgid i Sinderela 'slawer

Marilyn! Roedd gan Miss Prydderch enw! Miss Marilyn Prydderch.

dydd. Chi'n cofio'r stori fach honno? Wel, wel, wel, a beth alla i wneud i'ch helpu chi tro 'ma?'

'Wel, Mr Cnoc,' atebodd Miss Prydderch, 'eisiau dwy esgid i Gwen a Gwlanog sydd arna i heddiw'.

'Twt, twt.' Ysgydwodd yr aderyn bach rhyfedd ei ben. 'Bydd hynny'n anodd. Mae sgidiau'r defaid yn rhai hud … sut yn y byd gollon nhw'r sgidiau yna, dwedwch?'

Edrychodd Miss Prydderch i fyw llygaid Mr Cnoc, heb yngan un gair.

'A-ha!' atebodd Mr Cnoc a sŵn pob chwerthin wedi diflannu o'i lais. 'Dw i'n gweld. Yr hen Dr Wg ab Lin yna eto?'

Gyda hynny, aeth y ffatri'n gwbl dawel eto. Allech chi ddim clywed sŵn dim byd, dim ond adenydd ysgafn yn cyffwrdd yn y gwynt wrth i bob crydd bach hedfan a chuddio. Pob un ond am Mr Cnoc.

'Twt, twt, twt,' meddai. 'Marilyn, mae'n RHAID i ni roi stop ar ei hen ddrygioni di-ben-draw e.' Ac yna ychwanegodd, 'Drychwch ar yr ofn sydd ar bawb! Dim ond clywed ei enw fe ac mae pawb yn cuddio. Drychwch! Mae pob Cnoc Bach wedi mynd i guddio. Hen fwli cas yw e. Eisiau dwyn llais pawb! Ofn sy arno fe, dim byd mwy! Ond y trwbl yw ei fod e a'i dafod wenwynig yn gallu codi hyd yn oed mwy o ofn ar bawb arall. O! Marilyn fach, rhaid iddo newid ei ffyrdd! Chi'n deall? Newid ei ffyrdd neu fynd o' ma!'

'Dw i'n deall yn iawn,' atebodd Miss Prydderch yn feddylgar. 'A chydag amser fe fydd e'n newid. Bydd rhaid iddo!'

'A wel, ie, dyna ni. Amser. Amser. Amser. Ond mae amser yn cerdded a chyn bo hir bydd hi'n rhy hwyr, Marilyn, credwch chi fi. Fy hen, hen, hen, hen dad-cu i – Y Crydd Cyntaf – oedd yn arfer gwneud sgidiau i draed amser, ac roedd e'n dweud o hyd ei bod hi'n anodd credu mor glou maen nhw'n cerdded. Ie wir. Felly faint o amser sy gen i i wneud y sgidiau 'ma?'

Edrychodd Miss Prydderch yn

bryderus, 'Mae'n rhaid i ni fod 'nôl yn Ysgol y Garn cyn amser mynd adref!'

Crychodd yr aderyn bach ei drwyn, a throi at y plant cyn dweud – rhwng yr hoelion. 'Bydd rhaid i fi gael help, 'te. Dewch, at y gwaith!'

Yna, trodd ei ben tua brig y coed a galw ar ei ffrindiau, 'Hei, y Cnocs Bach! Dewch lawr, mae'n hollol saff – dim mwy o sôn am Dr Chi'n-Gwbod-Pwy …'

Ac yn araf deg, daeth un crydd bach ar ôl y llall yn ôl at ei waith yn y ffatri, pob un â llond ceg o hoelion a ffedog fach a phoced yn dal morthwylion o bob maint.

A dyna lle fuon nhw. Sara-Gwen, Elen, Dewi Griffiths, Lewis Vaughan,

Mae Alfred wrth ei fodd â'r gair 'bobo'.

Miss Prydderch ac Alfred. Pob un mewn ffedog.

Aeth Elen a Sara-Gwen ati'n gyntaf i wnïo'r lledr a Mrs Cnocell y Coed, gwraig Mr Cnoc, yn eu dysgu nhw. Gwisgai Elen a Sara-Gwen blisgyn cneuen ar ben eu bys i arbed y nodwydd fawr rhag pigo'r croen, ac ymhen dim roedd y lledr coch a gwyrdd yn barod.

Yna, cafodd Dewi Griffiths, Lewis Vaughan ac Alfred bobo forthwyl bach er mwyn bwrw dyfal-donc yr hoelion bach i ddarn o bren.

Cnoc, cnoc, cnoc,
Gweithio rownd y cloc,
Tic, toc, tic, toc,
Cnoc, cnoc, cnoc.

96

Dysgodd Mr Cnoc nhw sut i gael gwahanol sŵn o'r morthwylion. Roedd pob morthwyl yn canu nodyn gwahanol yn dibynnu ar ei hyd a'i bwysau – ac wrth gwrs, yn dibynnu ar ba mor galed roeddech chi'n ei daro. AWTSH!

O! Oedd! Roedd hi'n hawdd ar Mr Cnoc. Roedd e wedi bod yn grydd ers blynyddoedd ac yn gallu bwrw'r hoelen fach aur ar ei phen bob tro ... ond AWTSH, AWTSH, AWTSH! Bwriodd Alfred ei fys deirgwaith, bwriodd Dewi Griffiths fys Lewis Vaughan, a bwriodd Lewis Vaughan fys mawr ei droed ei hunan (peidiwch â gofyn sut!).

A thrwy'r cwbl i gyd, sylwodd Alfred fod Miss Prydderch wedi bod yn eistedd yn dawel dan goeden fawr yn meddwl yn galed, a'r tylluanod yn cysgu'n drwm.

Ymhen hir a hwyr, roedd y ddwy esgid yn barod.

'Deffrwch!' gwaeddodd Miss Prydderch gan ysgwyd y tylluanod cwsg. 'Mae'n bryd mynd.'

A chan ysgwyd eu plu, dyma nhw'n estyn eu hadenydd i'r criw gael lle esmwyth i eistedd ar eu cefnau. Rhoddodd Mr Cnoc y sgidiau mewn bocs bach tlws gan ddweud ei fod wedi cofio ychwanegu'r powdwr hud ac y dylai Gwen a Gwlanog fod yn hapus.

'Faint sy arnon ni i chi?' gofynnodd Miss Prydderch gan ddiolch o waelod calon ar yr un pryd.

'Dim tâl,' dwedodd Mr Cnoc. Ond roedd rhyw gwestiwn yn ei lygaid, roedd Alfred yn gwybod hynny. A Miss Prydderch. A holodd Miss Prydderch, 'Dim o gwbl?'

'Wel … y … falle … y … ryw ddiwrnod … y … chi'n cofio?'

Lledodd gwên dros wyneb Miss Prydderch. 'Aha! Dwi'n cofio! Rwyt ti eisiau gwersi canu!'

'Ond Miss,' meddai Sara-Gwen, 'o'n i'n meddwl bod pob aderyn yn gallu canu.'

'Ie, wel,' atebodd Miss Prydderch. 'Mae *bron* pob aderyn yn medru canu, ond dyw cnocell y coed ddim. Curo, curo, curo gyda'i phig yw miwsig cnocell y coed.'

Yna trodd Miss Prydderch at Alfred a Mr Cnoc. 'Ryw ddiwrnod, Mr Cnoc, pan fydd mwy o amser, daw Alfred i dy ddysgu di – ti a'r teulu i gyd – sut i ganu'r chwistl-drwmp!'

'Y beth?!' holodd Mr Cnoc.

'Alfred – dangos i Mr Cnoc!'

Roedd Alfred yn sefyll yn stond. Sut yn y byd roedd Miss Prydderch yn gwybod am y chwistl-drwmp? Rhaid ei bod hi'n gwybod POPETH! Doedd Alfred ERIOED wedi tynnu'r chwistl-drwmp o'r waled ar ei wregys yn y dosbarth. DIM ERIOED.

Ond roedd llygaid Mr Cnoc a'r Cnocs Bach i gyd yn llawn gofyn, a doedd dim amdani ond tynnu'r offeryn

100

arbennig o'r waled yn ofalus a'i ddangos i'r adar.

'Dau ddarn o bren?!' dwedodd un o'r Cnocs Bach yn syn. 'Mae dau ddarn o bren yn gallu canu?!'

'O, ydyn,' meddai Miss Prydderch. 'Ond, does dim amser nawr – rywdro eto. Mae Gwen a Gwlanog yn galw. Dewch, blant!'

Roedd Mr Cnoc yn amlwg yn methu aros i gael ei wersi canu, ond wrth i'r plant ddringo 'nôl ar gefnau'r tylluanod, gwaeddodd, 'Cofiwch ddweud wrth y ddwy ddafad 'na i fod yn fwy gofalus a gwneud eu gorau glas i beidio â cholli'r sgidiau hud eto. Dr Wg ab Lin neu beidio ...!'

A chyn iddo orffen ei frawddeg – ar glywed enw'r neidr hir, aeth y ffatri'n ddistaw eto, a diflannodd pob crydd yn ôl i guddio i frig y coed.

Trodd Mr Cnoc ei lygaid yn anobeithiol. 'Hei, chi lot! Dewch lawr er mwyn popeth! Dim ond hen neidr hir yw'r pwdryn! Bwli! Dewch 'nôl at y gwaith – dewch 'mlaen …!'

Ac i sŵn Mr Cnoc druan yn ceisio denu'i weithwyr 'nôl at eu gwaith, hedfanodd y criw ffrindiau a Miss Prydderch at y lleill a'r gwynt yn canu yn eu gwallt.

11

Amser mynd adref

◆◆◆◆◆◆◆◆◆◆◆◆◆◆◆◆◆◆◆◆◆◆◆◆◆◆◆◆◆◆◆◆◆◆

Pan gyrhaeddon nhw'r Llannerch roedd y Miss Prydderch Smotiau Melyn a gweddill y criw wedi bod yn brysur yn casglu peli gwlân mewn sachau, ac roedd dwy lond sach gyda nhw'n barod. Roedd Gwyn ar dân eisiau gwybod beth oedd wedi digwydd i Lewis Vaughan a Dewi Griffiths ac Alfred, ond doedd dim amser i gael clywed eu stori nhw.

'Glou! Glou!' meddai Miss Prydderch, a'r ddwy − Smotiau Pinc a Smotiau Melyn − bellach yn un. 'Mae bron yn amser mynd adre. Bydd rhaid i ni frysio. Pawb ar y carped!'

Ac wrth i bawb redeg am y carped, dyma Miss Prydderch yn rhoi'r sgidiau newydd i'r defaid mud. A chyn gynted ag yr oedd y sgidiau am eu traed, roedd y ddwy'n gallu siarad. 'Diolch! Diolch!' meddai'r ddwy. 'Diolch am y sgidiau! Dyna braf yw cael llais! Chi wedi bod mor garedig … Falle allwn ni eich helpu chi ryw ddiwrnod. Diolch! Diolch!'

'Sdim ishe diolch o gwbl,' meddai Miss Prydderch yn wên i gyd. 'Pleser pur! Nawr 'te, blant − pawb ar y carped?'

A chan bwyntio'i bys tua'r Gorllewin dyma hi'n galw, 'AM ADRE – I YSGOL Y GARN!'

Daeth sŵn gwynt mawr o rywle a dechreuodd y carped godi. Roedd yr antur bron ar ben. Edrychodd Alfred yn ôl, ac o gornel ei lygad, gwelodd Gwen a Gwlanog yn dawnsio o'r Llannerch a diflannu rhwng y coed … DIFLANNU!

Gallai daeru ei fod wedi gweld un fflach o olau gwyrdd hefyd a rhywbeth sgleiniog yn llithro ar eu holau nhw …

'Welest ti hwnna?' gofynnodd wrth Elen.

'Gweld beth?' meddai Elen.

'O, dim byd,' atebodd Alfred. Wedi'r cyfan, doedd dim pwynt codi ofn ar neb.

Ac roedd pawb wrth eu bodd fod y stori wedi gorffen yn hapus …

Am y tro, o leiaf.

12

Bys

◆◆◆◆◆◆◆◆◆◆◆◆◆◆◆◆◆◆◆◆◆◆◆◆◆◆◆◆◆◆◆◆◆◆

Erbyn i'r gloch ganu, roedd Miss Prydderch Lwyd wedi symud y mop o'r drws, ac roedd pawb yn sefyll mewn un rhes daclus yn barod i fynd mas. Pawb yn gwbl lonydd. Neb yn dweud smic. Ac allan â nhw yn drefnus i'r iard.

'Sut aeth hi yn yr ysgol heddiw?' gofynnodd mam Sara-Gwen.

'Ni 'di cael stori ffantastig!' atebodd Sara-Gwen.

'Sut aeth hi yn yr ysgol heddiw?' gofynnodd Mam Elen Benfelen.

'Ni 'di cael stori ffantastig!' atebodd Elen Benfelen.

'Sut aeth hi yn yr ysgol heddiw?' gofynnodd Myng wrth Lewis Vaughan,

'Ni 'di cael stori ffantastig!' atebodd Lewis Vaughan …

Ac roedd pob plentyn yn gyffro i gyd wrth sôn am stori Coedwig y Tylluanod a Gwen a Gwlanog a'r ddwy Miss Prydderch a Dr Wg ab Lin, a Mr Cnoc a'r Sachau Gwlân.

Pawb ond Alfred. Pan ofynnodd mam Alfred iddo, 'Sut aeth hi yn yr ysgol heddiw?' dim ond 'Iawn', oedd ateb Alfred. Yr un ateb â phob dydd arall. 'Iawn'. Ddwedodd e ddim gair am y 'stori ffantastig' …

Pam, meddech chi?

Am fod Alfred *ddim* yn meddwl mai stori oedd hi.

Nes ymlaen, dros swper, gofynnodd mam Alfred beth oedd y marciau bach rhyfedd ar ei fys. 'Pa farciau?' holodd Alfred. Pan edrychodd ar ei law, gwelodd ôl morthwyl bach y crydd o Ffatri Cnocell y Coed. 'O, dim byd,' atebodd. Ond roedd Alfred wedi cael braw. Os mai 'stori' oedd 'stori' Coedwig y Tylluanod, ddylai ddim bod olion 'go iawn' i'w gweld yn unman. Ystyriodd fynd draw i dŷ Lewis Vaughan a gofyn am gael gweld y bys roedd Dewi Griffiths wedi'i daro ar ddamwain, a bys ei droed, yr un roedd Lewis Vaughan wedi'i daro ei hunan, ond fydde fe'n siŵr o chwerthin am ei ben e. Allai pethau sy'n digwydd mewn 'stori' ddim gadael ôl go iawn, allen nhw?

Ceisiodd Alfred feddwl yn galed am bopeth oedd wedi digwydd yn ystod y dydd. Rhaid, RHAID, ei fod wedi bwrw'i fys rywsut ... amser chwarae falle, yn yr awr ginio falle ... Ac eto, doedd e ddim yn cofio bwrw'i fys ... heblaw gyda'r morthwyl bach yn y ffatri yng Nghoedwig y Tylluanod. Cuddiodd

Sef tua'r un maint â'i fawd.

ei law yn ei boced yn gyflym, rhag i'w fam holi mwy. A dyna pryd teimlodd e'r hoelen. Rhwng ei fys bawd a'i fys hir roedd peth bach maint tri chentimedr ar y mwyaf. Heb dynnu sylw'i fam, tynnodd e'r peth allan a'i ddal yn dynn. Pan drodd ei fam i ferwi'r tegell, agorodd ei law ac edrych i lawr yn gyflym. Doedd dim amheuaeth! Yno, yng nghledr ei law, roedd HOELEN AUR O FFATRI MR CNOC!

Gwyddai Alfred nawr ei fod e'n siŵr nad 'lle mewn stori' oedd Coedwig y Tylluanod o gwbl, ond lle go iawn! Ac os felly, gwyddai fod Gwen a Gwlanog mewn peryg, a phwy a ŵyr pwy arall …

Oherwydd nawr, roedd Alfred 100% yn siŵr mai'r fflach a welodd e wrth adael Coedwig y Tylluanod, oedd fflach Dr Wg.

Gwyddai, er gwaetha'r ofn, y byddai'n rhaid dychwelyd yno i roi stop ar gynlluniau cas Dr Wg ab Lin.

Wrth orwedd yn ei wely'r noson honno, syllodd Alfred ar y sticeri sêr a gweld bwa saeth Orion, yr heliwr mawr, unwaith eto'n pwyntio tuag ato. Pe byddai e'n fawr ac yn gryf fel Orion, meddyliodd, ac yn cael gafael ar fwa saeth, wedyn gallai fynd 'nôl i Goedwig y Tylluanod a chael gwared ar Dr Wg ab Lin unwaith ac am byth. Ac wrth ddychmygu'i hunan yn arwr mawr, dychmygodd pawb – y bois i gyd ac Elen Benfelen a Miss Arianwen Hughes ... ie, a hyd yn oed Miss Marilyn Prydderch ... yn ei ganmol ac yn gweiddi 'Hwrê!'. Cyn troi i gysgu, estynnodd Alfred unwaith eto am yr hoelen. Roedd wedi'i rhoi'n ddiogel yn waled ei wregys ar bwys y chwistl-drwmp.

Un o'i drysorau pennaf oedd y gwregys lledr hwn. Roedd ei fam wedi'i roi'n anrheg iddo pan oedd e'n ddeg mlwydd oed. Roedd e braidd yn fawr iddo a bu'n rhaid gofyn i dad Dewi Griffiths wneud twll ychwanegol ynddo er mwyn iddo gau'n iawn. Roedd y gwregys yn un arbennig am ddau reswm. Yn amlwg, roedd y ffaith fod waled fach yn sownd iddo yn un rheswm. Y rheswm arall oedd mai tad Alfred oedd piau'r gwregys. Roedd tad Alfred wedi'i gael pan oedd e'n bedair ar ddeg ac wedi gadael yr ysgol i ddechrau gweithio. A lle bynnag y byddai Alfred yn mynd, roedd y chwistl-drwmp yn mynd yn y waled fach ar wregys ei dad. Oedd,

Ei drysor pennaf arall oedd y chwistl-drwmp fach o ddau ddarn o bren gyda dau fin arian. Ei dad oedd piau honno hefyd – y gwregys a'r chwistl-drwmp.

roedd yr hoelen fach aur yn dal yn y waled. Ac ymhen hir a hwyr, syrthiodd Alfred i drwmgwsg o'r diwedd. Yn ei freuddwyd, roedd yn sefyll fel enillydd Fformiwla I ar lwyfan yn ysgwyd potel o siampên. Am ei wddw roedd croen llipa neidr hir, ac o'i amgylch roedd pawb yn gweiddi, 'Hwrê i Alfred! **Hwrê! Hwrê! Hwrê!'**

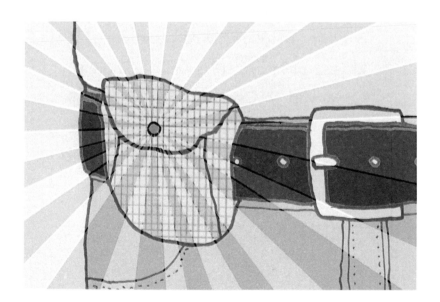

13

Cyfarfod

◆◆◆◆◆◆◆◆◆◆◆◆◆◆◆◆◆◆◆◆◆◆◆◆◆◆◆◆◆◆◆◆◆◆◆

Roedd sŵn cyffro yn festri Horeb.
Yn y tu blaen roedd bwrdd a dau wydraid
o ddŵr. Tu ôl i'r bwrdd eisteddai Mr
Elias, y prifathro; Mrs Gillian Thomas,
Cadeirydd y Cyngor Sir, a dyn arall
mewn siwt – fe oedd y swyddog o'r
AWDURDODAU. Tu ôl i'r tri ohonyn

Rhain oedd y bobl bwysig – chi'n cofio? Maen nhw
wedi ymddangos yn barod ar dudalen 12 …

enw'r capel

nhw, roedd y placard mawr a wnaeth tad Dewi Griffiths mas o ddarnau sbâr o bren. Arno roedd y geiriau: 'Cadwn Ysgol y Garn Ar Agor' wedi'u peintio'n fras.

Gan fod y festri'n llawn, roedd y plant wedi mynd i eistedd gyda'i gilydd ar fwrdd yn y cefn – Alfred, Dewi Griffiths, Lewis Vaughan a Gwyn, Elen Benfelen a Sara-Gwen.

Pan gododd Mr Elias, aeth pawb yn dawel. Roedd e'n edrych yn drist ac yn feddylgar. Cliriodd ei lwnc. 'Hm, Hm,' meddai.

'Mae'n swnio'n debyg i'r dylluan yng Nghoedwig y Tylluanod,' sibrydodd Lewis Vaughan.

Ac roedd Lewis Vaughan yn iawn.

'Ond 'sdim plu na chlustiau coch 'da fe,' mentrodd Gwyn – cyn i'w fam droi rownd ac edrych yn fygythiol arno.

'Hm, hm,' aeth Mr Elias yn ei flaen. 'Da iawn. Da iawn. Da iawn.'

Ar ôl diolch i bawb am ddod, diolchodd yn arbennig i Mr Griffiths, tad Dewi Griffiths, am y placard. Esboniodd ei bod hi'n bwysig bod

Mrs Gillian Thomas a'r swyddog o'r AWDURDODAU yn deall nad oedd neb yng Ngwaelod y Garn eisiau trafod 'Cau Ysgol y Garn', ac mai'r unig beth oedd yn werth ei drafod oedd 'CADW YSGOL Y GARN AR AGOR'.

Dechreuodd pawb guro dwylo.

Roedd wyneb Mr Elias yn biws erbyn hyn ac eisteddodd 'nôl yn ei gadair yn edrych yn rhyfedd.

Tro Mrs Gillian Thomas oedd hi nesaf. Roedd ganddi lais diflas ac anodd i wrando arno, a chollodd Alfred ddiddordeb yn glou. Mwydrodd ymlaen am bwysigrwydd yr ECONOMI neu

Yr ECONOMI yw gair posh am y system sy'n trefnu arian pawb,' esboniodd ei fam wrth Alfred ar y ffordd adre o'r cyfarfod.

rywbeth, a dweud bod ei dwylo hi wedi'u clymu … Roedd hynny'n beth dwl i ddweud achos roedd hi'n chwifio'i dwylo yn yr awyr yr union eiliad honno. Edrychodd Alfred yn slei bach ar Lewis Vaughan, gan wybod y byddai e hefyd yn meddwl bod hynny'n ddoniol. Roedd e a Dewi Griffiths yn pwffian chwerthin – a thro Myng Lewis Vaughan oedd hi nawr i droi rownd ac edrych, wel, nid yn fygythiol, achos doedd hi ddim yn gallu edrych yn fygythiol, ond yn fygythiol-ish.

Os oedd llais Mrs Gillian Thomas yn ddiflas, doedd e'n ddim i gymharu â llais y swyddog o'r AWDURDODAU. Cododd hwnnw ar ei draed a llond ei ddwylo o bapurau'n cynnwys

Roedd Alfred yn meddwl mai gair posh am 'rifau' ydy YSTADEGAU, ond doedd e ddim yn siŵr.

YSTADEGAU. Roedd yr YSTADEGAU hyn yn profi bod rhaid i'r ysgol gau … os na fyddai mwy o blant ynddi.

OOOOO! Ochneidiodd pawb 'run pryd. Roedden nhw i gyd yn gwybod hynny. Ac wedi gwybod hynny ers cyn yr haf. A gwybod nad oedd digon o blant am nad oedd digon o rieni. A gwybod nad oedd digon o rieni am nad oedd digon o waith.

'Mae'r ateb yn syml,' meddai llais cyfarwydd o ganol y llawr.

Trodd llygaid pawb i gyfeiriad y fenyw denau, lwyd a oedd wedi codi o'i sedd a sefyll yn syth.

'Ydy e wir, Miss Prydderch?' gofynnodd Mr Elias.

Roedd hi'n gwbl amlwg fod Mr Elias yn ofni Miss Prydderch bron gymaint â'r plant.

'Wel, ydy siŵr, Mr Elias,' atebodd Miss Prydderch.

Ac mewn llais bach gofynnodd Mr Elias, 'Yyy, fyddech chi'n fodlon rhannu'r ateb gyda ni 'te, Miss Prydderch?'

Ond pwy gododd ar ei thraed gan chwifio'i dwylo hyd yn oed yn fwy gwyllt nag o'r blaen oedd Mrs Gillian Thomas, ac meddai yn ei llais bach undonog. 'Yn hollol! Mae'r ateb yn amlwg – mae'n rhaid i'r plant i gyd adael Ysgol y Garn a mynd i YSGOL Y DREF!'

Heb feddwl, neidiodd y chwech yn y cefn i lawr oddi ar y bwrdd. Ysgol y Dref? A heb feddwl daeth llais mawr mas o geg Alfred, 'Ond dy'n ni ddim *ishe* mynd i Ysgol y Dre!'

Trodd pawb i edrych. Ond roedd llygaid mam Alfred yn gwenu a neb yn edrych yn fygythiol.

Roedd Mr Elias yn amlwg wedi'i ysgwyd, ac yn amlwg yn grac fod Mrs Gillian Thomas wedi torri ar draws Miss Prydderch. 'Hm, Hm,' dwedodd yn dawel ond yn gadarn. 'Mrs Thomas, nid gofyn i *chi* wnes i, ond gofyn i Miss Prydderch ...'

Pwdodd Mrs Thomas ac eistedd yn swta; mor swta nes gwneud sŵn fel rhech wrth i'w phen-ôl mawr gyffwrdd â'r sedd. Edrychodd y swyddog o'r

AWDURDODAU yn syn a throdd wyneb Mrs Thomas yn goch.

Ond doedd neb llawer yn sylwi arni hi. Roedd llygaid pawb ar Miss Prydderch, oedd yn dal i sefyll yn amyneddgar ar ganol llawr y festri.

'Yyyy, Miss Prydderch,' meddai Mr Elias, 'fyddech chi'n fodlon rhoi eich ateb chi?'

'Gyda phleser, Mr Elias. Yr ateb yn syml yw hyn – Mae'n rhaid i ni greu gwaith! Creu swyddi! Creu jobs!'

'Ardderchog, Miss Prydderch! Da iawn. Da iawn,' meddai Mr Elias.

A dechreuodd pawb guro dwylo eto. 'Clywch! Clywch!' gwaeddodd

Cofiodd Alfred am eiriau Mr Cnoc: 'Amser. Amser. Amser. Ond mae amser yn cerdded a chyn bo hir, bydd hi'n rhy hwyr.'

ambell un. 'Go dda!' meddai un arall. 'HWRÊ!' meddai bron pawb.

'Creu gwaith, wir! 'Sdim gobaith caneri 'da chi!' ebychodd Mrs Gillian Thomas yn bwdlyd, a lledodd rhyw hanner gwên slei dros wefusau'r swyddog o'r AWDURDODAU. Pwysodd ymlaen i sibrwd rhywbeth yng nghlust Mrs Thomas, ac ar ôl iddo orffen, cododd y ddau ar eu traed a mynd am y drws. Pan gyrhaeddon nhw'r drws, trodd Mrs Thomas yn ôl a dweud yn sbeitlyd, 'Chi wedi cael drwy'r haf i feddwl am ateb – fe gewch chi bythefnos arall. PYTHEFNOS! PYTHEFNOS! Dyna i gyd ... O ydy, mae amser yn cerdded, ac mae'n mynd yn hwyr ...'

14

Ond sut?

◆◆◆◆◆◆◆◆◆◆◆◆◆◆◆◆◆◆◆◆◆◆◆◆◆◆◆◆◆◆◆◆

Wrth gerdded adref o'r festri'r noson honno, roedd pawb yn gytûn fod syniad Miss Prydderch yn un ardderchog. Roedd rhaid creu gwaith. A dim ond un cwestiwn oedd ar feddwl pawb …

Sut?

Ond roedd un cwestiwn bach arall

ar feddwl Alfred hefyd. 'Pwy oedd y dyn â'r gwallt du, sgleiniog – y dyn yn y siwt drwsiadus – a ddaeth i mewn i'r cyfarfod yn hwyr ac a aeth allan yn dawel bach ar ôl Mrs Thomas a'r swyddog o'r AWDURDODAU?

15

Y 7G – Gwaelod y Garn: Gyda'n Gilydd Gallwn Greu Gwaith!

◆◆◆◆◆◆◆◆◆◆◆◆◆◆◆◆◆◆◆◆◆◆◆◆◆◆◆◆◆◆◆◆◆◆

Yn y gwasanaeth fore Llun, roedd gan Mr Elias ddau beth pwysig i'w dweud. Yn y lle cyntaf, roedd e am ddiolch i Miss Prydderch am dreulio'r penwythnos yn gwneud taflenni:

Ein Llais Ni!

Ein Hysgol Ni!

7G: Gwaelod y Garn: Gyda'n Gilydd Gallwn Greu Gwaith!

Roedd Mr Elias yn meddwl bod y slogan yn dda iawn, da iawn, da iawn; yn ardderchog a dweud y gwir; ac roedd e'n gofyn am wirfoddolwyr i ddosbarthu'r taflenni i bob tŷ yn y pentref ar ôl ysgol. Cyn iddo orffen y frawddeg, roedd y criw ffrindiau o ddosbarth Miss Prydderch wedi cynnig eu help: Alfred, Dewi Griffith, Lewis Vaughan, Gwyn, Elen Benfelen a Sara-Gwen.

Roedd y daflen yn gofyn i bawb ddod i gyfarfod yn festri Horeb nos Wener; y tro yma, gyda syniadau am sut i ddod

Gallech chi ddweud 'darn o newyddion' os hoffech chi.

â gwaith i'r Garn, a dwedodd Mr Elias wrth bawb am atgoffa'u rhieni BOB DYDD am y cyfarfod pwysig hwn.

Roedd pawb yn gwybod beth fyddai'r ail gyhoeddiad, achos roedd pawb wedi sylwi ar ddau blentyn newydd yn eistedd mewn dwy gadair ar ben y rhes.

'A nawr,' meddai Mr Elias mewn llais caredig, 'rwy am i chi gyd groesawu dau ffrind newydd i Ysgol y Garn, sef Molly a Max. Da iawn. Da iawn. Mae Molly a Max wedi dod o Gaerdydd i fyw i'r Garn a byddan nhw'n ymuno â dosbarth Miss Prydderch. Ry'n ni gyd yn gobeithio'n fawr y byddwch chi'ch dau yn hapus iawn yn Ysgol y Garn.'

130

Gyda hyn, cododd Anwen Evans ei llaw.

'Ie, Anwen?' meddai Mr Elias.

'Beth yw'r pwynt dechrau mewn ysgol os yw'r ysgol yn mynd i gau?'

Roedd pawb wedi'i syfrdanu. Chwarae teg i Anwen. Roedd y cwestiwn yn un da. A nawr roedd pob llygad ar Mr Elias, a hwnnw'n sefyll a'i geg ar agor a dim geiriau'n dod mas. Dim un bw na ba. Nes cododd Miss Prydderch a dweud yn glir, 'Ond fydd yr ysgol *ddim yn* cau, Anwen,' meddai gan roi pwyslais mawr ar 'ddim' ac 'yn'. 'Dim os bydd pawb yn dod at ei *Gilydd i Greu Gwaith.*' Y tro yma, rhoddodd bwyslais mawr ar 'Gilydd' a 'Creu' a 'Gwaith'.

'Amen,' meddai Mr Elias a'i lais wedi dod 'nôl o'r diwedd. 'Ie wir, da iawn ac amen.'

Ac am ryw reswm, a heb wybod yn hollol pam, dyma Alfred yn neidio ar ei draed yn ddirybudd a dechrau gweiddi:, 'Gwaelod y Garn: Gyda'n Gilydd Gallwn Greu Gwaith!' A'r peth nesaf, roedd pawb yn y neuadd – pob un disgybl, y 37 ohonyn nhw, o'r rhai lleiaf i'r rhai mwyaf – yn siantio:

Gwaelod y Garn: Gyda'n Gilydd Gallwn Greu Gwaith!

Gwaelod y Garn: Gyda'n Gilydd Gallwn Greu Gwaith!

Doedd Molly a Max ddim yn gweiddi achos, a bod yn deg, roedden nhw'n rhy newydd ac felly'n rhy swil.

Gwaelod y Garn: Gyda'n Gilydd Gallwn Greu Gwaith!

Nes bod hyd yn oed Mr Elias wedi ymuno yn y twrw … ac aeth pawb allan yn eu rhesi gan siantio'n uchel a martsio 'nôl i'w stafelloedd dosbarth.

16

Molly a Max

◆◆◆◆◆◆◆◆◆◆◆◆◆◆◆◆◆◆◆◆◆◆◆◆◆◆◆◆◆◆◆◆◆

Molly a Max. Dau efaill. Doedden nhw
ddim yn edrych yn debyg i neb arall yn y
dosbarth, ond roedden nhw'r un ffunud
â'i gilydd. Roedd ganddyn nhw wallt
cyrliog, gwyllt, golau a llygaid gwyrdd,
anferth. Gwisgai Molly sgert wlân
batrymog a chardigan wlân bob lliw,
a gwisgai Max drwser cordyrói coch
nad oedd yn hir nac yn fyr, a siwmper

wlân bob lliw. Roedd y ddau'n gwisgo bŵts at y pigwrn a sanau melyn, gwlân, trwchus. Ac roedd y ddau'n gwenu lot. Roedd Lewis Vaughan wrth ei fodd ac yn gwenu o glust i glust. O'r diwedd, bachgen arall mewn siwmper wlân fel fe.

Doedd Miss Prydderch dal ddim yn gwenu. Ond doedd dim cymaint o'i hofn hi ar Alfred a'i griw nawr. A dweud y gwir, yn dawel bach, roedd pawb yn y dosbarth wedi dechrau dod i'w hoffi. Roedd y gwersi'n ddiddorol, roedd hi'n deg iawn, ac er nad oedd hi'n gwenu llawer ac yn dal i wisgo ffrog hir lwyd ddiflas, doedd hi byth yn gweiddi, a doedd hi byth yn gas.

Ffatri yw man lle mae pobl yn dod at ei gilydd i greu pethau tebyg, fel y ffatri gwneud sgidiau yn y Goedwig.

Croesawodd hi Molly a Max i'r dosbarth a rhoi Molly i eistedd ar bwys Elen Benfelen, a Max i eistedd ar bwys Lewis Vaughan.

Y dasg gyntaf oedd gwneud poster, ac roedd rhaid i'r poster ddangos syniadau am waith ar gyfer pobl y Garn.

Tynnodd Alfred lun ffatri fawr yn gwneud ceir sgleiniog gyda chyfrifiaduron enfawr.

Tynnodd Gwyn lun ffatri fawr yn gwneud hufen iâ.

Tynnodd Sara-Gwen lun o faes awyr tebyg i'r un lle'r aeth hi â'i theulu llynedd i ddal awyren i Sbaen.

Tynnodd Elen Benfelen lun stryd hir o siopau dillad.

136

Tynnodd Lewis Vaughan lun ysbyty anferth.

Tynnodd Dewi Griffiths lun canolfan hamdden gyda phwll nofio a sinema a chae pêl-droed.

Tynnodd Max lun adeilad mawr tal ac ar y drws, rhoddodd y geiriau 'Swyddfeydd Pwysig'.

Yn ôl yr arfer – doedd neb i fod i siarad.

Felly roedd hi'n amser chwarae cyn i Alfred glywed llais Max yn iawn. A dyna beth oedd sioc! Doedd Max ddim yn siarad yn debyg i neb arall. Roedd e'n siarad Cymraeg, mae'n wir – ond am Gymraeg od!

Yn lle 'Dacu' roedd e'n dweud 'Pop'. Yn lle dweud 'tynnu llun' roedd e'n dweud 'arlunio'.

A doedd e ddim yn gwybod beth oedd 'cymoni'!

A phan ganodd y gloch a phawb yn sefyll mewn rhes, sibrydodd Elen Benfelen wrth Alfred fod Molly wedi dweud fod ei mam a'i thad hi'n METHU SIARAD CYMRAEG! Felly mae Molly a Max yn gallu siarad â'i gilydd a dyw eu mam a'u tad nhw ddim yn deall gair. DYCHMYGA!

A dechreuodd Alfred ddychmygu. Dychmygu y bydde fe ac Elen yn gallu

Rhag ofn eich bod chi'n dod o bant hefyd, gair Gwaelod y Garn am 'dacluso' yw 'cymoni'.

siarad iaith nad oedd neb arall yn ei deall … neu fe a Miss Arianwen Hughes. A sylweddolodd Alfred mai dyna'r tro cyntaf iddo feddwl am Miss Arianwen Hughes ers sbel.

17

Syniadau

◆◆◆◆◆◆◆◆◆◆◆◆◆◆◆◆◆◆◆◆◆◆◆◆◆◆◆◆◆◆◆◆◆◆◆◆◆

Gwibiodd yr wythnos yn ei blaen. Roedd cymaint i'w wneud.

Ar ben dilyn yr amserlen lwyd – y Sillafu, y Mathemateg, y Darllen a Deall, y Gwersi Bwrdd Natur a Daearyddiaeth a Dylunio a Gwyddoniaeth a Chymraeg a Saesneg – roedd holl brysurdeb **Ymgyrch y 7G** hefyd yn llyncu oriau. Bob prynhawn ar ôl ysgol roedd rhaid dosbarthu taflenni, a phob nos roedd Gwaith Cartref Arbennig – yr un gwaith cartref i bawb o ddydd Llun i ddydd Gwener: *Meddwl am syniad allai ddod â gwaith i Waelod y Garn.*

Roedd un dasg arall gan Alfred hefyd. Yn y rhes amser cinio, yn disgwyl i'r gloch ganu a dweud wrth bawb ei bod hi'n amser mynd 'nôl i'r gwersi, roedd e ac Elen wedi bod yn siarad, ac roedd y ddau ohonyn nhw'n cytuno mor ffab fyddai dyfeisio iaith jyst i Flwyddyn 6; rhyw iaith gyfrinachol na fyddai neb arall yn ei deall. Yn union fel roedd Molly a Max yn gallu siarad Cymraeg

Ffab: hoff air Elen Benfelen a Sara-Gwen, dim gair Alfred a'r bois. Fyddai Alfred BYTH yn dweud 'ffab' o flaen y bois. Ond roedd e'n mentro dweud 'ffab' pan oedd e'n siarad ag Elen.

heb fod eu rhieni nhw'n deall un gair!
Felly, cyn mynd i gysgu nos Lun, roedd
Alfred wedi dechrau meddwl, a meddwl
a meddwl. Meddwl am iaith gyfrinachol
… ac er nad oedd e'n gwybod yn hollol
sut, pan ddeffrodd yn y bore, roedd yr
iaith newydd hon wedi dechrau ffurfio
yn ei ben, a neidiodd e mas o'r gwely
ar ras i fynd i'r ysgol i rannu'r geiriau
newydd gydag Elen Benfelen …

Neu, yn yr Iaith Newydd:

 **EFEGELEFEGEN BEFEGEN
FEFEGELEFEGEN!**

Amser cinio, roedd Mrs Forster yn
methu deall pam fod plant Blwyddyn 6
i gyd mor dawel. Draw ym mhen pella'r

142

12 + y 2 efaill newydd.

iard roedd y 14 ohonyn nhw wedi dod at ei gilydd mewn cylch a phob un yn gwrando'n astud ar Alfred. Roedd e'n ceisio esbonio sut oedd siarad yr Iaith Newydd. Ar ôl trafodaeth, roedden nhw wedi penderfynu galw'r Iaith Newydd naill ai yn 'Chwecheg' – ar ôl Blwyddyn 6, neu'n 'Carneg' – ar ôl Ysgol y Garn, ac, wedi cynnal pleidlais, cytunwyd mai' 'Carneg' fyddai'r enw gorau. Ond roedd dewis enw i'r iaith yn waith llawer haws na *dysgu*'r iaith.

'Gwrandewch,' meddai Alfred, yn dechrau colli amynedd, ar ôl iddo esbonio ddwywaith a neb wedi deall. 'Mae'n syml! Mae'n rhaid cymryd pob sŵn yn y gair, wedyn ailadrodd y llafariad

Ydych chi'n cofio beth yw llafariad? Os na, trowch y dudalen, achos mae Awen Evans yn yr un twll â chi.

yn y sŵn a rhoi 'f' ac 'g' yn ei ganol e, cyn symud ymlaen at y sŵn nesaf a gwneud yr un peth. Fel hyn …'

Ond cyn iddo gael cyfle i roi enghraifft, dyma law Anwen Evans yn saethu lan. 'Alfred?' gofynnodd. 'Beth yw'r llafariaid 'to? Dwi wedi anghofio.'

'A-ha, ie, cwestiwn da,' meddai Alfred. 'Mae'n HOLL bwysig bod pawb yn cofio beth yw'r llafariaid! Dyma nhw: A, E, I, O, U, W, Y. Pawb gyda'i gilydd …'

Erbyn hyn roedd Mrs Forster wedi dod draw i wneud yn siŵr fod y criw i gyd yn iawn; wedi'r cyfan, roedd rhywbeth rhyfedd iawn mewn gweld

144

Sef yn swnllyd iawn.

14 o blant yn cyd-adrodd llafariaid yn ystod amser chwarae cinio!

'A, E, I, O, U, W, Y,' meddai pawb yn groch.

'Shhhh!' rhybuddiodd Alfred, wrth weld Mrs Forster yn dod yn nes. 'Cofiwch – iaith gyfrinachol yw hon. 'Sdim pwynt cael iaith gyfrinachol os yw pawb yn y byd yn gallu'i deall hi!'

Gan fod criw Blwyddyn 6 yn edrych yn ddigon hapus, er eu bod yn hynod o drefnus a thawel, aeth Mrs Forster yn ôl i gadw llygaid ar y plant llai.

'Reit, 'nôl at yr enghraifft. Ble o'n ni?' holodd Alfred cyn iddo ateb ei hunan. 'O ie. Rhaid cymryd pob sŵn yn y gair, wedyn ailadrodd y llafariad

145

(sef A, E, I, O, U, W, Y) yn y sŵn a rhoi 'f' ac 'g' yn ei ganol e, cyn symud ymlaen at y sŵn nesaf a gwneud yr un peth. Fel hyn: Alf + red = dau sŵn = Afagalf + refeged = Afagalfrefeged. Wedi ailadrodd yr 'a' yn 'Alf' a'r 'e' yn 'red'. Deall?'

'Y?' gofynnodd Dewi Griffiths, cyn dweud, 'Ti off dy ben, Alfred!'

A dweud y gwir, roedd pawb yn edrych wedi drysu, nes i Elen fentro dweud ei bod hi'n meddwl ei bod hi'n deall. 'Felly, Elen fyddai, El + en = dau sŵn = Efegel + efegen = Efegelefegen. Ife?'

'Ie! Hwrê!' gwaeddodd Alfred, cyn cofio pwysigrwydd sibrwd. 'Da iawn ti Elen ... oes rhywun arall ishe tro?' gofynnodd mewn llais bach, bach.

'Ife Lew + is = dau sŵn = Lefegew + ifigis = Lefegewifigis, yw Lewis?' gofynnodd Lewis Vaughan.

'Iep! Yn union! Hwrê!' sibrydodd Alfred.

'Y?' meddai Dewi Griffiths eto. 'Chi gyd yn nyts!'

A chyda hynny, canodd Mrs Forster y gloch gan edrych yn amheus iawn ar y plant mawr yn dod o ben draw'r iard a sefyll yn dwt yn eu rhesi.

Roedd hi'n anodd canolbwyntio'r prynhawn hwnnw! Dim ond un peth oedd ar feddwl pob disgybl ym Mlwyddyn 6: sut oedd dweud eu

Pam na wnewch chi roi cynnig ar ddweud eich enw mewn Garneg …

henwau yn Garneg? 'Darllen' oedd ar yr amserlen lwyd, a doedd Miss Prydderch ddim yn deall pam fod pawb mor *araf* yn troi'r tudalennau yn y llyfrau o'u blaenau. Roedd hyd yn oed Sara-Gwen, a oedd fel arfer yn gallu darllen pennod gyfan yn hawdd mewn gwers, yn dal i syllu ar y dudalen gyntaf …

Pe byddai Miss Prydderch wedi gallu darllen meddyliau, byddai hi'n gwybod nad oedd Sara-Gwen yn darllen o gwbl, ond ei bod hi'n brysur yn llunio cwestiwn yn Garneg i ofyn i Elen. A hwn oedd y cwestiwn:

Wfwgwyt tifigi afagam ddofogod ifigi defege afagar ôfôgôl yfygysgofogol?

Sef, yn Gymraeg: Wyt ti am ddod i de ar ôl ysgol?

Ond gan nad oedd Miss Prydderch yn gallu darllen meddyliau, penderfynodd mai meddwl am syniadau am sut i Greu Gwaith yng Ngwaelod y Garn oedd Sara-Gwen ... a phawb arall yn y dosbarth o ran hynny.

18

Amser stori eto

◆◆◆◆◆◆◆◆◆◆◆◆◆◆◆◆◆◆◆◆◆◆◆◆◆◆◆◆◆◆◆◆◆

Do, gwibiodd yr wythnos heibio. Dosbarthwyd pob taflen. Casglwyd pentwr o syniadau i'r Ymgyrch Creu Gwaith. Ac roedd criw go dda wedi dechrau meistroli'r Garneg. Roedd Elen wedi ateb Sara drwy ddweud 'Yfygydwfwgw plifigis', ac wedi mynd adre at Sara i de i ymarfer Garneg am

Ydw plis

Ges i sglodion i ginio. Beth gest ti?

oriau. Roedd Dewi Griffiths, Lewis Vaughan a Gwyn wedi cael sawl sesiwn hyfforddi gydag Alfred, ac o'r diwedd, roedd hyd yn oed Dewi Griffiths yn dechrau 'i gweld hi. Roedd geiriau unigol yn hawdd, fel 'pêfêgel-drofogoed' neu 'ryfygybifigi', ond roedd creu brawddegau cyfan yn fwy anodd. Heb os, y rhai a siaradai'r Garneg orau oedd Elen Benfelen, Sara-Gwen ac Alfred. Ac erbyn amser cinio dydd Gwener, roedd si ar led bod y tri ohonyn nhw wedi siarad am ddeg munud cyfan yn ddi-stop mewn Garneg!

Gefeges ifigi sglofogodiofogon ifigi gifiginiofogo. Befegeth gefegest tifigi?

Sai'n hoffi sglodion, so ges i reis.

Safagain hofogoffifigi sglofogodiofogon, sofogo gefeges ifigi refegeis.

Ifygych! Refegeis? Fifigi'n cafasgafafagau refegeis.

Ac yn y blaen …

Rhwng popeth, roedd cymaint o gyffro wedi bod, nes bod bron pawb wedi anghofio beth oedd ar yr amserlen lwyd ar gyfer prynhawn dydd Gwener. Pawb ond Alfred. Doedd dim unrhyw beryg ei fod e wedi anghofio. Ac wrth sefyll yn y rhes, gan ofalu na fyddai Mrs Forster na neb arall yn sylwi, rhoddodd Alfred ei law dan ei siwmper ac agor y waled yng ngwregys ei dad. Gadawodd

Iych! Reis? Fi'n casáu reis.

i'w fys a'i fawd chwilota yn y waled, jyst i wneud yn siŵr – ac oedd, roedd yn gallu teimlo'r hoelen fach aur o ffatri Mr Cnoc. Roedd hi'n dal yno.

Yn union fel roedd y ddau air yn dal ar yr amserlen lwyd pan aeth y plant yn ôl i'r dosbarth. Dau air llawn cyffro, ie, ond llawn arswyd hefyd: 'Amser Stori'.

'Pwy fyddai'n hoffi clywed stori?' gofynnodd Miss Prydderch, bron yn gwenu.

'Fi, Fi, Fi!' meddai'r dosbarth i gyd yn gyffrous.

'Y'ch chi'n cofio'r drefn?' gofynnodd Miss Prydderch, gan estyn y mop a

Pawb heblaw Alfred.

153

chlymu'r 'gwallt' mewn bynnen arno a gwisgo cardigan lwyd amdano cyn ei roi i orffwys yn erbyn ffenest y drws. 'Alfred, wyt ti'n cofio beth wyt ti fod i'w wneud?'

'Ydw, Miss,' atebodd. Ac er bod pawb arall yn symud yn dawel ond yn gyffro i gyd, at y mat, a Miss Prydderch yn arwain Molly a Max i eistedd gyda'r lleill, roedd calon Alfred yn curo a'i stumog yn glymau i gyd.

Ceisiodd siarad yn gall â'i hunan. Roedd olion morthwyl Mr Cnoc wedi hen ddiflannu o'i fys. Falle mai dychmygu wnaeth e fod Mam wedi sylwi – a doedd e ddim wedi mentro gofyn iddi wedyn a oedd hi wir wedi sylwi ar y marciau bach ar ei fys rhag ofn nad oedd hi, ac wedyn byddai hi'n dechrau gofyn cwestiynau a rhoi stŵr iddo am fod yn freuddwydiwr. A falle, jyst falle, mai cyd-ddigwyddiad llwyr oedd hi fod hoelen fach aur yn debyg i un o hoelion ffatri Mr Cnoc wedi glanio ym mhoced ei drwser e …

Ond eto i gyd, roedd rhywbeth ym mêr esgyrn Alfred yn mynnu dweud nad 'stori' gyffredin oedd antur Coedwig y Tylluanod, a doedd y syniad o gwrdd â Dr Wg ab Lin yr ail waith, ddim *wir* yn apelio llawer ato …

Rhaid bod Miss Prydderch wedi

Mêr yr esgyrn yw rhywle yn ddwfn iawn y tu mewn i chi.

sylwi ei fod e'n oedi, achos y peth nesaf glywodd e oedd ei llais hi'n gofyn, 'Alfred – ydy popeth yn iawn? Wyt ti eisiau clywed y stori?'

'Ydw,' clywodd ei hunan yn ateb. A dyna oedd y gwir – roedd Alfred eisiau 'clywed' y stori – doedd e jyst ddim eisiau bod yn y stori go iawn …

Ond wrth iddo hel meddyliau fel hyn, roedd Miss Prydderch wedi agor y llyfr mawr llwyd ac wedi dechrau arni. Yn gyntaf, roedd rhaid iddi esbonio wrth Molly a Max am Goedwig y Tylluanod ac am Gwen a Gwlanog a Mr Cnoc ac am y dail oedd yn ddigon mawr i chi eistedd

Sef meddwl nôl ac ymlaen dros rywbeth.

156

arnyn nhw a'r tylluanod â'r clustiau coch oedd â lle yn eu plu i chi hedfan arnyn nhw. Yna, dyma ddod at y cwestiwn mawr:

'Fysech chi'n hoffi mynd i Goedwig y Tylluanod?'

Roedd pawb, wrth gwrs, wedi nodio pen, a nawr roedd Alfred yn sylweddoli bod Miss Prydderch yn dweud y geiriau, 'O'r gorau, daliwch yn dynn ... A BANT Â NI!'

Sylweddolodd hefyd fod chwa o wynt rhyfedd wedi dod o'r llawr, a bod hen garped y cornel darllen, a'r holl blant oedd arno, a'r stôl deircoes a Miss Prydderch i gyd yn dechrau codi. Codi yn uwch ac yn uwch ac yn uwch.

A bod Miss Prydderch yn galw, 'Alfred! Alfred! **'Bant â ni!'**

Ac yn sydyn cofiodd Alfred eto am gyfarwyddiadau Miss Prydderch …

'O'r gorau. Alfred, cer di i sefyll ar bwys y drws. Os gweli di Mr Elias yn dod, dweda'n syth. Os na, pan glywi di fi'n dweud **"bant â ni"**, *dwi am i ti roi'r mop hwn yn erbyn y drws ac yna, rhed ar garlam draw at y carped. Deall?'*

'O'r gorau, daliwch yn dynn … a **bant â ni!'**

Roedd Alfred yn hanner gobeithio gweld Mr Elias. O leiaf wedyn byddai ganddo fe esgus penigamp i roi stop ar y stori – esgus llawer gwell na 'gadewch i ni beidio â chael stori achos dwi'n meddwl bod Coedwig y Tylluanod yn lle go iawn!' Ond doedd dim sôn am Mr Elias, felly gadawodd Alfred y mop i bwyso unwaith eto yn erbyn y drws a dechreuodd redeg. Os nad oedd e wir am fynd i Goedwig y Tylluanod, doedd e'n sicr ddim eisiau cael ei adael ar ôl ar ei ben ei hunan yn y dosbarth. Rhedodd ar garlam ar hyd y dosbarth. Rhedeg gan neidio dros y byrddau a'r cadeiriau i gyfeiriad y cornel darllen. Roedd y darn carped wedi diflannu bron yn gyfan gwbl i mewn i grombil cwmwl mawr. Ac unwaith eto, yr unig beth a welai Alfred oedd llaw Miss Prydderch yn estyn allan ac yna'n ei dynnu o'r llawr ac i mewn i'r cwmwl lle roedd y dosbarth i gyd yn eistedd mewn syndod a Molly a Max a'u gwalltiau'n fwy gwyllt nag arfer!

'Coedwig y Tylluanod!' gorchmynnodd Miss Prydderch gan bwyntio tua'r Dwyrain. A chydag un chwyrlïad mawr agorodd holl ffenestri'r stafell ddosbarth unwaith eto a hedfanodd y cwmwl a'r carped allan uwchben yr iard a thros yr afon a'r Garn.

Ar gopa'r Garn, diflannodd y cwmwl yn llwyr gan adael dim ond awyr las a'r plant i gyd – a Miss Prydderch – yn dal yn dynn yn ei gilydd ac yn ymylon carped y cornel darllen.

Yn union fel y tro diwethaf, doedd neb yn dweud na bw na ba – dim ond dal yn dynn a mwynhau sŵn y gwynt yn eu gwallt ac edrych ar ei gilydd a'u llygaid yn fawr fel soseri.

Yna'n sydyn, curodd Miss Prydderch ei dwylo'n llawen, 'Dacw fe! Coedwig y Tylluanod!'

Ond hyd yn oed o'r pellter uchel hwn, gwyddai Alfred fod rhywbeth o'i le. Ac o bosib, roedd y rhywbeth hwnnw'n RHYWBETH MAWR.

Mewn geiriau eraill – roedd rhywbeth yn anghywir, yn hollol 'rong'!!!!

19

Rhywbeth o'i le

◆◆◆◆◆◆◆◆◆◆◆◆◆◆◆◆◆◆◆◆◆◆◆◆◆◆◆◆◆◆◆◆◆◆◆

Glaniodd y carped gyda'r un bwmp yn yr un Llannerch. Rhwygodd Miss Prydderch ei ffrog lwyd a datgelu unwaith eto'r jîns glas a'r crys-T pinc a hwnnw'n llawn smotiau melyn … yr union yr un fath ag un o'i sanau hi. Rhwbiodd Max a Molly eu llygaid. Roedd hyn yn anhygoel!

'Hwrê!' meddai Anwen Evans. 'Gawn ni ddechrau casglu gwlân?'

A chyn i neb gael cyfle i ddweud dim, dyma Gwyn yn edrych draw at Alfred a gwneud stumiau oedd yn dweud, 'Dwi'n dod gyda ti y tro yma – reit? PAID Â 'NGADAEL I GYDAG ANWEN EVANS A'I CHRIW YN CASGLU GWLÂN!'

Amneidiodd Alfred 'nôl arno a gwneud stumiau oedd yn dweud, 'Dere draw i eistedd fan hyn 'te.' A heb dynnu sylw Miss Prydderch, symudodd Gwyn draw at Alfred wysg ei ben-ôl.

Roedd Miss Prydderch ar fin galw Gwen a Gwlanog er mwyn i Molly a Max gael cwrdd â'r ddwy ddafad enwog, pan gododd Rhian Beynon ei llaw.

'Miss Prydderch,' holodd Rhian, 'ble mae'r holl dylluanod?'

Edrychodd pawb tua changhennau'r castanwydd. Dyna beth od. Doedd dim un dylluan i'w gweld yn unman. Ac o'r diwedd, dechreuodd pawb synhwyro, fel roedd Alfred wedi *hen* synhwyro, fod rhywbeth o'i le. A jyst rhag ofn fod rhywun o gwbl yn amau hyn, gyda hynny, fflachiodd golau gwyrdd drwy'r goedwig, a llanwyd y lle â phelydrau mileinig. Cyrliodd y dail mewn arswyd, ac i ganol y Llannerch llithrodd neidr yn llysnafedd i gyd.

DAETH TAWELWCH LLETHOL DROS BOPETH. A'r peth nesaf glywodd pawb oedd ssssswn llaisssss cyfarwydd, annymunol un neidr lithrig, hir.

164

'Sssso! Ssssso! Ssssso! Missssss Prydderch... Croesssssssonôl ... Ssssdim issssse i chi fod yn ssssswil — croesssssso i Goedwig Dr Wg ab Lin!'

'Coedwig Dr Wg ab Lin?' holodd Miss Prydderch. 'Coedwig Dr Wg ab Lin?! Ond Coedwig y Tylluanod yw hon!'

'Meddai pwy?' gofynnodd y neidr yn bryfoclyd, gan lusgo'i hunan yn belen o dan lygaid Miss Prydderch a chodi'r gwddw hir fel bod tafod wenwynig yn fflachio o dan drwyn yr athrawes. Heb symud cam syllodd Miss Prydderch yn syth 'nôl i wyneb y dihiryn ac ateb yn gadarn, 'Meddai PAWB!'

Dechreuodd Dr Wg ab Lin hisian chwerthin. 'Hwyl a ssssssbri! Go dda!

Go ddal!' Ac yna, gan droi'r chwerthin yn sibrwd cas. 'Ond heb dylluanod. Missssss Prydderch, doessssss dim llawer o bwrpasssss galw'r lle yn 'Coedwig y Tylluanod', oessssss 'na?!'

Roedd Miss Prydderch ar fin gofyn, 'Beth wyt ti'n feddwl – heb dylluanod?!' Ond cyn iddi gael cyfle, fflachiodd y golau gwyrdd ei belydrau'n ffyrnig dros y Llannerch eto.

'Pwy yn y byd yw FE!?' sibrydodd Molly a Max run pryd.

O NA! Roedden nhw wedi siarad! Byddai Dr Wg yn gwybod nawr fod gan Miss Prydderch gwmni plant! A chyn i'r darn olaf o olau gwyrdd gilio, roedd Dr Wg ab Lin wedi ymestyn ei gorff yn un cylch hir o gwmpas y carped.

166

'Missss Prydderch! Dydych chi ddim ar eich pen eich hunan y tro yma! Rwy'n ssssssynhwyro bod cwmni gyda chi ... gadewch i mi glussssstfeinio eto...'

Fflach arall o olau gwyrdd a sŵn SSSSSSSSSSS fawr, ac yna – tywyllwch a thawelwch llwyr.

Pan ddaeth yr haul 'nôl i'r Llannerch, roedd Dr Wg ab Lin wedi diflannu, ond roedd tipyn o waith cysuro pawb gan Miss Prydderch o hyd.

'Gawn ni fynd 'nôl i'r ysgol, Miss Prydderch?' gofynnodd Anwen Evans a dagrau mawr yn ei llygaid.

'O ie, plis, Miss Prydderch!' Llais Rhian Beynon y tro hwn.

'Mae'n ddrwg iawn gen i, blantos;

dyw pethau ddim fel arfer mor wael
â hyn yng Nghoedwig y Tylluanod.'
Oedodd am eiliad cyn dweud … 'ac ie,
o dan yr amgylchiadau, falle 'i bod hi'n
well i ni 'i throi hi …'

'Ond allwn ni ddim gadael i Dr Wg
ab Lin gario'r dydd!' taranodd llais Dewi
Griffiths.

'Ble mae'r tylluanod i gyd? A ble mae
Gwen a Gwlanog? A beth os yw Mr
Cnoc hefyd wedi diflannu?' Llais Lewis
Vaughan oedd hwn.

Ac yna, daeth llais Elen Benfelen …

'A ble, Miss Prydderch, ble yn y byd
mae Alfred?'

Roedd Alfred wedi diflannu …